Ramón de Jesús Rodríguez

Et si j'apprenais
le dessin

ÉDITIONS
PLACE DES VICTOIRES

© Arco Editorial, 1999
© Éditions Mengès et Place des Victoires, 1999
pour l'édition en langue française
6, rue du Mail - 75002 Paris

Achevé d'imprimer en avril 1999
sur les presses de Eurografica, Vicence, Italie

ISBN 2-84459-009-8
Dépôt légal : 2ᵉ trimestre 1999

SOMMAIRE

Matériel

LE DESSIN EN TANT QUE PHASE PRÉLIMINAIRE D'UN PROJET ARTISTIQUE

Le dessin est la base de toute réalisation artistique. La chapelle Sixtine, *Guernica* et l'ensemble de l'héritage artistique de l'humanité n'ont pu naître que grâce à la technique du dessin. Toutes les œuvres que vous pouvez admirer dans les musées et toute l'architecture, c'est-à-dire l'ensemble de l'art, possèdent une origine humble, qui peut se résumer au griffonnage d'un simple crayon sur un papier. Pour commencer à dessiner, il vous suffit donc de disposer de ces éléments de base : un accessoire qui vous permettra de tracer et un support.

Le dessinateur amateur peut, au choix, utiliser une gamme étendue ou très réduite d'accessoires. La pratique de toutes les autres techniques de représentation artistique telles que l'huile, l'aquarelle ou l'acrylique requiert une quantité minimale de matériel, alors que le dessinateur peut se contenter de très peu d'éléments, un simple crayon et du papier, indépendamment de l'endroit où il travaille. Au fur et à mesure qu'il avancera dans le monde du dessin, le dessinateur amateur découvrira de nouveaux accessoires et de nouvelles options tels que le fusain, la craie, la sanguine, le pinceau et la plume ; des outils qui, en définitive, tendent vers un même but : tracer et ombrer.

▶ *Le papier est le plus simple des supports, même si, comme nous le verrons plus tard, il existe de nombreux types et diverses qualités de papiers. Vous constaterez que plus vous apprécierez le dessin plus vous développerez une affection particulière vis-à-vis du matériel.*

LE MATÉRIEL INDISPENSABLE

Pour commencer à dessiner, il vous suffit de disposer d'éléments très simples et économiques : un carnet et un crayon à papier, à moins que vous ne préfériez employer un bâton de graphite ou un fusain ; les autres accessoires ne sont que complémentaires.

▼ *Le dessinateur emploie également des accessoires complémentaires tels que des chiffons et un cutter.*

◀

Un bâton de graphite et un petit carnet sont suffisants pour vous plonger dans le monde du dessin.

CARTONS À DESSIN, CARNETS ET ACCESSOIRES

▶ *Les cartons à dessin constituent la meilleure solution pour le rangement et le classement des travaux. Il existe différents types de cartons à dessin, des plus économiques, en carton simple, aux plus sophistiqués, en matériau très résistant, imperméables et pourvus d'une fermeture à glissière. Les cartons à dessin en carton rigide munis de lacets de fermeture sont amplement suffisants pour ranger vos travaux chez vous. Vous trouverez également divers types de cartons à dessin pourvus d'anses, dont le prix n'est pas beaucoup plus élevé et qui facilitent le transport des feuilles de grand format.*

Un dessinateur peut produire un grand nombre de travaux en peu de temps et risque donc de voir les papiers s'accumuler. Que faire de toutes ces feuilles ? S'il n'est pas bien organisé, le dessinateur devra faire face à des tâches continues de rangement, susceptibles de décourager les amateurs les plus motivés. Le rangement du matériel doit être bien organisé car c'est la seule façon de contrôler le travail. Mais il ne suffit pas d'organiser le dessin, il convient également de ranger les accessoires employés.

L'emploi de carnets simplifie le rangement, surtout dans le cas des esquisses. Il en existe de différentes tailles, des carnets de poche aux grands formats. L'utilisation d'un carnet ou d'un bloc permet également au dessinateur de disposer d'un support rigide sur lequel il peut dessiner. ▼

▼ *Nous vous recommandons de disposer d'un coffret ou d'un plumier qui vous permettra de ranger le matériel de dessin ; l'exemple ci-dessus est un modèle classique, pourvu de plusieurs compartiments.*

LE FUSAIN

Le fusain est le médium graphique le plus malléable, le plus ancien et le plus simple. Son origine remonte aux premières manifestations artistiques de l'être humain. Il s'agit d'un charbon obtenu par carbonisation de l'arbre portant le même nom. Le fusain permet de réaliser des lignes ou des coups de crayon de couleur noire intense et le trait obtenu est très instable ; il suffit de le toucher du bout des doigts pour qu'il se transforme en une poudre ou une poussière de charbon. Cette instabilité en fait un excellent médium pour apprendre à dessiner car il est très facile à corriger.

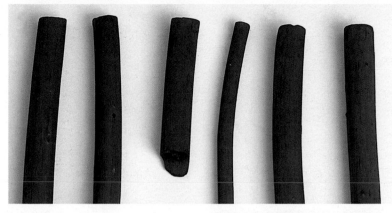

▼ Les bâtons de fusain sont disponibles en différentes épaisseurs. Nous vous conseillons d'en avoir toujours un certain nombre à votre disposition car ils s'usent très vite. Le fusain est très fragile ; les dessinateurs cassent généralement le bâton en plusieurs morceaux, dont la taille varie en fonction de l'usage qu'ils souhaitent en faire.

▶ Pour commencer à dessiner au fusain, il vous suffit de disposer d'un bâton de fusain, d'une feuille de papier et d'un chiffon. Ce médium est tellement instable qu'il suffit de passer un simple coup de chiffon sur le papier pour l'effacer.

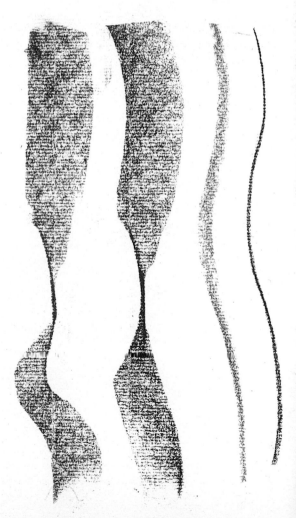

◀ Toute la surface du bâton de fusain est utilisable ; nous vous montrons ici quelques-unes des possibilités de tracés offertes par le fusain.

▶ Les caractéristiques du tracé dépendent du papier employé. Il convient donc de réaliser des essais sur différents types de papier pour juger de la différence entre les traits obtenus.

LE CRAYON ET SA DURETÉ

L'un des médiums graphiques les plus populaires et les plus couramment utilisés pour le dessin est le crayon. Il est formé d'un bâton ou d'une mine, dont la composition varie selon le type de crayon (charbon, plastique, sanguine, graphite, etc.), et d'une enveloppe en bois souple (cèdre), exempte de veines pour faciliter l'affûtage et éviter que le crayon se fende. La qualité du crayon dépend de celle de ses deux principaux composants. La mine doit être suffisamment compacte pour ne pas se casser ; il convient cependant d'éviter de laisser tomber les crayons et d'endommager les pointes. Le bois doit présenter une souplesse et un taux d'humidité appropriés.

▶ *Les crayons se distinguent par la dureté de leur mine. Pour le dessin artistique, il est conseillé d'utiliser des crayons à mines tendres, c'est-à-dire comprises entre HB et les gammes les plus élevées de B. Les crayons à mine de type H, plus dure, sont destinés au dessin technique. En haut de la photographie ci-contre, un crayon en graphite 20B et, en bas, un crayon dur 2H.*

La valeur de la dureté de la mine est imprimée à l'extrémité du crayon et se détermine en fonction de la gradation de gris qu'elle permet d'obtenir. Les mines tendres permettent de dessiner des traits très foncés et portent la lettre B, à laquelle vient s'ajouter un chiffre. Plus ce chiffre est élevé, plus le gris maximum est foncé. Les crayons durs portent la lettre H et celle-ci est également accompagnée d'un chiffre. Plus ce chiffre est élevé, plus le trait obtenu est dur et fin. Cette photographie montre un crayon HB, c'est-à-dire d'une dureté intermédiaire.

Ces coffrets sont très complets, mais il n'est pas nécessaire d'acheter un coffret complet ; les crayons peuvent également s'acquérir à l'unité.

GRAPHITE PUR

La mine en graphite pur est si épaisse qu'il n'est pas nécessaire de la protéger comme c'est le cas pour d'autres types de crayons. Les bâtons de graphite sont très utilisés par les dessinateurs car ils offrent des possibilités de tracés très variées. Étant donné qu'ils ne sont pas recouverts d'une enveloppe en bois, leur pointe n'est pas limitée et ils permettent d'obtenir une gamme très étendue de traits.

Différents modèles de bâtons de graphite pur. Leur épaisseur n'est pas liée à leur dureté ; elle permet simplement d'obtenir différents types de tracés. La qualité du trait au graphite dépasse de loin celle du trait au crayon à papier. De plus, la pointe des bâtons de graphite ne risque pas de se casser et ils sont utilisables sur toute leur longueur. ◄

▶ *Qu'ils soient obtenus à l'aide d'un bâton ou d'un crayon, les tracés au graphite peuvent être estompés du bout du doigt à condition que le médium soit tendre. Cette technique vous sera très utile lorsque vous aborderez divers exercices de dessin.*

Les bâtons de graphite pur offrent une quantité illimitée de possibilités qui, appliquées au dessin, facilitent l'obtention de résultats inégalables au crayon à papier. Observez le tracé réalisé à l'aide de la partie latérale de la pointe du bâton ; sa largeur permet de couvrir rapidement une surface étendue de papier. ▲

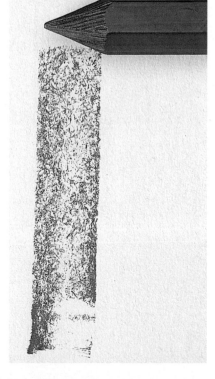

▼ *Le graphite pur offre une gamme étendue de possibilités de tracés.*

9

LA SANGUINE ET LES CRAIES

▶ *Trois bâtons de craie de différentes tonalités terre. Les craies peuvent présenter des gammes de couleurs très variées. Dans le domaine du dessin, les plus classiques sont celles obtenues à partir de couleurs terre.*

Coffret de luxe contenant des craies en bâtons et en crayons. Cette gamme sophistiquée permet de répondre aux besoins les plus capricieux des professionnels. Notez la grande variété des tons proposés. ▲

Il n'est pas toujours nécessaire de dessiner dans les tons de gris ou de noir que nous avons vus jusqu'à présent. Le matériel de dessin inclut également les craies et les sanguines. La craie est un mélange de carbonate de calcium préparé de façon artificielle, de colle et de pigments ; elle se présente sous la forme de bâtons qui offrent une grande richesse de tracés. La sanguine est composée de pigments minéraux également agglutinés à l'aide d'une colle. Ces ressources permettent d'obtenir une gamme étendue d'effets et de variations chromatiques ; leur emploi combiné peut donner lieu à des résultats extrêmement intéressants pour le dessinateur.

3

2

1

▼ *Bâtons de craie blanche (1), de sanguine (2) et de craie sépia (3). Il s'agit des trois types de bâtons les plus utilisés par les dessinateurs. Ces trois couleurs suffisent pour obtenir des gammes de toutes sortes.*

SUPPORTS

Le papier ne possède pas en lui-même une rigidité suffisante pour supporter la pression du médium employé, quel qu'il soit. Il est nécessaire d'avoir recours à une surface plane et stable sur laquelle le contact avec le médium ne provoquera aucune altération de texture. La plupart des accessoires nécessaires à la création d'un petit atelier domestique ne sont pas difficiles à trouver. Certains outils permettent également de dessiner à partir d'un modèle naturel sans perdre celui-ci de vue; c'est le cas du chevalet. Il existe différents types de chevalets sur le marché.

▼ *Lorsqu'il n'est pas trop grand, le bloc à dessin représente en lui-même un support stable. En revanche, lorsque vous dessinez sur une feuille unitaire, vous devez impérativement la placer sur une planche de contre-plaqué, que vous pourrez acheter dans une menuiserie ; cela vous permettra de la commander aux dimensions qui vous conviennent le mieux. Elles doivent être légèrement supérieures au format du papier que vous y fixerez.*

▼ *Le chevalet permet de placer le papier verticalement sur le support ; cette solution est particulièrement utile lorsque le bloc n'est pas très rigide. Pour utiliser un chevalet, il vous faut également disposer d'une planche. Le chevalet représenté ici est un modèle de table très pratique car il vous permet de profiter au maximum de l'espace disponible sur votre table de travail.*

◄

Il est très facile d'improviser une table de travail ; il vous suffit de deux tréteaux, qui serviront de supports, et d'une planche suffisamment épaisse pour supporter la surface sur laquelle vous allez travailler. Il est indispensable de disposer d'une table, non seulement pour les travaux qui doivent être exécutés horizontalement, mais aussi pour y poser tous vos accessoires.

LA LIGNE ET LE TON

Il est important de connaître les différents médiums graphiques et les possibilités offertes par chacun d'entre eux avant de commencer à les utiliser. Certains médiums sont durs et leur emploi n'est pas du goût de tous les dessinateurs. D'autres sont doux, parfois trop tendres. Les médiums durs permettent toujours de tracer des traits plus précis, mais ils sont plus difficiles à corriger que ceux obtenus à l'aide de médiums tendres, et les contrastes sont beaucoup plus ténus.

▼ Craies et fusain en crayons. Les craies de ce type peuvent être employées de façon similaire aux crayons à papier ; elles facilitent l'exécution de traits très précis et permettent d'obtenir une grande variété tonale. Le principal inconvénient du fusain en crayon est sa grande fragilité.

▶ L'une des grandes innovations du secteur du dessin est le pinceau-feutre. Il est muni d'un réservoir d'encre de Chine qui facilite la continuité du tracé. Vous pouvez acheter ce type d'accessoire dans les boutiques spécialisées dans la vente de matériel pour les beaux-arts. Le pinceau-feutre offre une grande variété de possibilités dans le domaine du dessin, mais le ton est toujours noir et opaque.

▼ Le fusain comprimé (à gauche) présente un toucher soyeux et doux ; il permet d'obtenir une gamme étendue de tons qui vont du noir le plus intense au gris le plus subtil lorsqu'il est estompé. Le bâton de sanguine (au centre) possède un toucher sableux, mais offre une grande variété tonale. Le crayon en graphite tendre (à droite) combine un tracé doux et une grande diversité de tons.

DE LA MONOCHROMIE À LA COULEUR

Contrairement à ce que pensent de nombreux dessinateurs amateurs, le dessin n'est pas nécessairement monochrome. En réalité, il est difficile de définir la frontière qui sépare le dessin de la peinture, bien que certains médiums de couleur soient indiscutablement des outils de dessin. Vous pouvez, au choix, utiliser une seule couleur pour obtenir un résultat monochrome ou en combiner plusieurs pour exécuter une œuvre polychrome.

▼ Ces crayons spéciaux offrent la possibilité de réaliser des dessins d'une grande expressivité. Leur épaisseur permet de dessiner des traits épais et d'obtenir toutes sortes de gammes de tons. Vous trouverez ce type de crayon dans les magasins spécialisés dans la vente de matériel pour les beaux-arts.

▼ Les crayons de couleur sont d'une grande utilité dans ce domaine ; ils permettent d'envisager un traitement entièrement basé sur le dessin, sans pour autant abandonner les capacités expressives de la ligne et du trait, mais en apportant le chromatisme de toutes les couleurs que le dessinateur souhaite employer. Il existe un grand nombre de crayons de ce type sur le marché, mais nous vous recommandons d'opter pour un coffret de crayons de qualité.

◄ Les feutres sont également considérés comme des instruments propres au dessin. Il convient d'acquérir des feutres de qualité plutôt que des feutres scolaires car, avec le temps, ceux-ci se dégradent et le trait finit par disparaître complètement.

Matériel

Le dessin peut requérir l'emploi d'un grand nombre d'accessoires, mais le dessinateur n'est pas obligé de les acheter tous dès le début ; il peut se les procurer progressivement pour monter son atelier personnel pas à pas. Certains de ces accessoires sont plus faciles à trouver que d'autres et il n'est pas nécessaire d'acheter la totalité dans un magasin spécialisé dans la vente de matériel pour les beaux-arts.

▶ *Planche (1) : elle permet de fixer le papier ; vous pouvez l'acheter chez un menuisier. Spray de fixateur (2) : produit permettant de fixer les dessins réalisés à l'aide de médiums peu stables tels que le fusain, la sanguine ou la craie ; disponible dans les magasins spécialisés. Punaises (3) : elles permettent de fixer le papier sur la planche et sont disponibles en quincaillerie. Pinces (4) : elles permettent de fixer le papier sur le carton à dessin et sont disponibles en papeterie ; vous pouvez les remplacer par des pinces à linge. Papier-émeri (5) : il permet d'affûter la pointe des médiums et est disponible en quincaillerie ou dans les magasins de bricolage. Règle (6) : disponible en papeterie ; elle doit être suffisamment longue et élastique. Cutter (7) : un outil indispensable pour couper et affûter, et que vous pouvez acquérir en quincaillerie ou dans un magasin de bricolage.*

▶ *Il est important de disposer de taille-crayons adaptés à chaque type de crayon pour éviter que leur pointe se casse.*

◀ *L'encre de Chine, le papier couché et la tige de bambou constituent le matériel nécessaire à l'application de cette technique. Le papier buvard et le siccatif sont des fournitures de nettoyage optionnelles.*

LE PAPIER

L e papier étant le principal support du dessin, il convient de lui prêter une attention particulière. Le choix dont dispose le dessinateur est très étendu. La trace laissée par les différents médiums dépend du grain, c'est-à-dire de la texture, du papier ; plus le grain du papier est gros, plus cette trace est visible. Mais les papiers ne se différencient pas uniquement par leur grain, ils sont également caractérisés par leur grammage, c'est-à-dire leur poids ; plus le poids au mètre carré est élevé, plus le papier est épais et résistant.

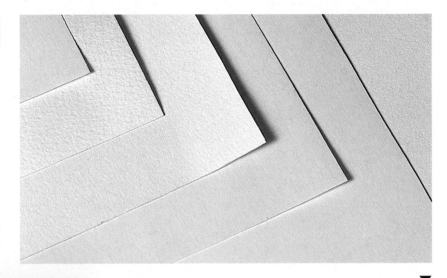

▶ *Certains fabricants proposent des papiers de couleur de grande qualité, sur lesquels le dessinateur peut travailler avec toutes sortes de médiums graphiques, dont la craie blanche, qui permet d'obtenir des rehauts de blanc.*

▼ *Papiers présentant des textures et des grammages divers. Les papiers de marque sont les plus appropriés au dessin ; la qualité de leur texture garantit une surface homogène et stable. La marque des papiers de qualité figure généralement en filigrane dans l'un des coins de la feuille et est visible par transparence.*

Deux exemples de travaux à la craie blanche sur du papier de couleur.
▲

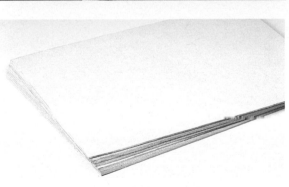

▼ *Papier gris à bon marché. Ce papier s'utilise surtout pour les croquis. Le papier à esquisses se vend généralement au poids et est à très bon marché. Si vous préférez l'acheter en grande quantité, nous vous conseillons de vous adresser à une entreprise du secteur papetier ou à un entrepôt spécialisé.*

GOMMES ET CHIFFONS

Les accessoires de nettoyage sont fondamentaux, quel que soit le médium utilisé. En effet, le dessin est une technique qui salit beaucoup le papier et les tracés doivent souvent être effacés ou corrigés à l'aide du matériel approprié. Les gommes permettent de nettoyer parfaitement le papier et d'éliminer les traits et les taches, mais il existe d'autres moyens susceptibles d'être employés pour effectuer ce type de retouche.

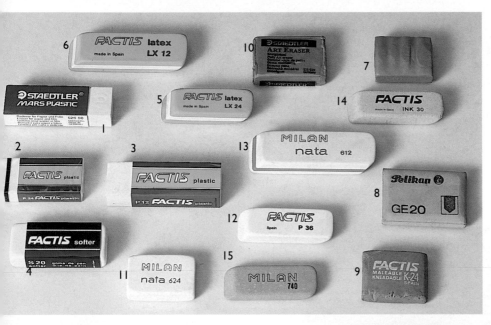

▶ Assortiment de gommes. Chacune d'entre elles est appropriée à un médium particulier : gommes en plastique (1-2-3-4), gommes en latex (5-6), gommes malléables, spécialement conçues pour le fusain et la sanguine (7-8-9-10), gommes douces "mie de pain", spécialement créées pour le dessin au crayon sur des papiers délicats et satinés (11-12-13-14) et gomme dure pour l'encre (15).

▶ Les gommes peuvent également être utilisées pour dessiner en négatif, c'est-à-dire pour ouvrir des traits clairs en effaçant une partie de la surface déjà traitée. Ces gommes sont incorporées à des portemines spéciaux dont l'emploi est similaire à celui d'un crayon.

▶ Chiffons et estompes. Les chiffons sont des accessoires indispensables pour nettoyer le médium graphique et les mains du dessinateur. Ce sont des outils très simples, mais extrêmement pratiques pour effacer les traits au fusain. Il suffit de passer un simple coup de chiffon sur la zone concernée. L'estompe est un rouleau de papier buvard dont l'extrémité se termine en pointe ; elle permet d'étaler le médium graphique de façon à obtenir un dégradé doux.

▼ Emploi d'un chiffon pour effacer une surface traitée au fusain.

Le fusain

TRACÉS AU FUSAIN

Le fusain est un médium graphique qui permet d'obtenir divers types de tracés selon la façon dont le dessinateur tient le bâton. Vous pouvez utiliser sa pointe, le tenir dans le sens longitudinal, ou encore, à plat, dans le sens transversal. Chacune de ces méthodes donne un type de tracé déterminé que vous pourrez appliquer au dessin pour obtenir une grande variété d'options et de résultats.

Le fusain est l'un des médiums graphiques les plus recommandables pour débuter dans le monde de la création artistique. Le bâton de fusain existe en diverses épaisseurs et toute sa surface est utilisable, dans les deux sens, longueur et largeur. Il s'agit d'un médium très instable ; il suffit de passer le doigt ou un chiffon sur le trait pour l'effacer. Il est important que vous prêtiez une attention particulière aux rudiments de cette technique car les détails les plus insignifiants tels que l'effacement ou la façon de tracer vous seront indispensables pour comprendre les procédés plus complexes.

▶ *Il convient tout d'abord de casser le bâton de fusain de façon à disposer de morceaux de la taille adéquate. Il suffit de maintenir les deux côtés du bâton et d'appliquer une légère pression pour que celui-ci casse. Les morceaux ne doivent être ni trop longs ni trop courts ; 5 ou 6 centimètres suffisent car c'est une longueur qui permet de réaliser toutes sortes de tracés.*

▼ *Lorsque vous tenez le fusain comme un crayon, une partie du bâton est enveloppée par la paume de votre main ; mais le tracé peut s'avérer difficile à maîtriser car, contrairement à ce qui se passe dans le cas du crayon, la partie supérieure du fusain est cachée par la main ; le mouvement du fusain est donc entièrement lié à celui des doigts.*

▼ *Pour tracer de cette façon, tenez le fusain à plat dans le sens longitudinal. Cette méthode permet d'obtenir des lignes très précises et des tracés très sûrs car toute la longueur du fusain peut être utilisée.*

▼ *Employé dans le sens transversal, c'est-à-dire comme le montre la photographie ci-dessus, le fusain permet d'obtenir des tracés aussi larges que le bâton et de couvrir des surfaces très étendues.*

LES DIFFÉRENTES FACES DU FUSAIN

Les différentes faces du fusain permettent d'obtenir divers types de tracés et toutes sortes de formes mais, s'il vous suffit de disposer d'un fusain et d'une feuille de papier pour commencer à dessiner, il faut vous familiariser avec cette technique graphique et apprendre les premières notions relatives au dessin avant de vous lancer dans l'exécution de tous les travaux que vous pourrez réaliser avec ce médium.

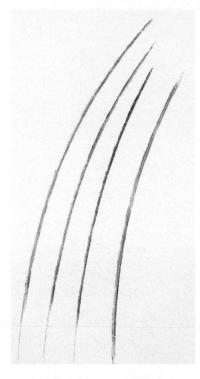

▶ *Ces tracés rapides, dirigés par le mouvement de la main, ont été exécutés avec la pointe du fusain, en tenant le bâton comme s'il s'agissait d'un crayon. Essayez de tracer plusieurs lignes de façon à comparer les différences dues à la pression exercée sur le papier. Faites attention à ce que votre main ne touche pas les traits existants au risque de les effacer.*

▼

Utilisé à plat, dans le sens longitudinal, le fusain permet d'obtenir un tracé très sûr. Il est pratiquement impossible que le trait tremble car le fusain lui-même sert de guide pendant le tracé. Cette technique ne permet pas de dessiner des détails poussés, mais elle est adaptée à la réalisation d'esquisses, qui peuvent s'avérer très utiles lors de la schématisation ou des premières étapes d'exécution de toutes sortes de dessins ou travaux graphiques.

▶ *Employé dans le sens transversal, le fusain permet de tracer des lignes aussi larges que le bâton. Comme vous pouvez le voir sur l'exemple ci-contre, cette technique offre une grande variété de combinaisons pour un même tracé. Il suffit de bouger légèrement le bâton pour qu'un trait plan se transforme en un trait transversal.*

RETOUCHES ET EMPLOI DE LA GOMME

Si vous avez effectué les essais indiqués sur la page précédente, vous avez pu constater que le fusain est un médium instable sur le papier et qu'il tache les doigts lorsque vous le touchez. Cette qualité vous permettra de réaliser toutes sortes de retouches sur vos dessins au fusain, que ce soit à l'aide d'une gomme malléable ou avec diverses parties de la main, dont les doigts. Nous vous conseillons de vous exercer à retoucher les traits et à estomper les surfaces avant de commencer à exécuter vos premiers travaux de dessin.

Tracez un trait au fusain, en tenant le bâton à plat, dans le sens transversal. Passez ensuite votre main sur cette surface, en effectuant de petits mouvements circulaires, du bout des doigts. Le fusain s'étale et tache le papier. C'est ce que l'on appelle estomper le tracé.

▼ *Il est possible d'estomper toutes sortes de lignes. Il suffit de tracer un trait avec la pointe du fusain et de passer le doigt le long d'un des côtés de ce trait pour que cette partie du tracé s'estompe sur le fond. Si la pression exercée est trop forte, le mélange formé par le fusain et la graisse naturelle de la peau risque de tacher le papier de façon irréversible. Si vous exercez une pression moindre, le fondu obtenu sera très doux.*

Les gommes dures sont susceptibles d'endommager la surface du papier et se salissent beaucoup plus vite que les gommes souples. Si vous utilisez une gomme dure, vérifiez son état de propreté après chaque gommage et, au besoin, nettoyez-la. Les gommes qui ont été nettoyées ou lavées doivent, bien entendu, être parfaitement sèches avant utilisation.

▼ *Les gommes malléables peuvent être modelées à la main pour leur conférer la forme souhaitée. Les types de gommages ou de retouches qui pourront être effectués dépendront de la forme de la gomme utilisée. Nous vous proposons ici un exercice très simple : couvrez tout d'abord la totalité de la surface au fusain, en tenant le bâton à plat, dans le sens transversal ; ouvrez ensuite plusieurs blancs à l'aide de la gomme, en frottant doucement la surface noircie au fusain ; lorsque la gomme est sale, pétrissez-la de façon à chasser la partie sale vers l'intérieur. Vous pourrez ensuite la réutiliser pour effacer ou ouvrir des blancs.*

COMBINAISON DE LIGNES

Après avoir appris les rudiments du dessin au fusain, il convient de les mettre en pratique. Toutes les formes présentes dans la nature peuvent être réduites à des éléments très simples. Cela permet de faciliter leur compréhension lorsqu'elles sont représentées sur le papier. Une combinaison adéquate des diverses méthodes de dessin exposées dans les pages précédentes vous permettra de dessiner des formes apparemment complexes. Prêtez une attention particulière à cet exercice ; vous constaterez que les premiers pas du dessinateur ne sont pas si difficiles.

Il est indispensable d'utiliser un papier approprié car, dans le cas contraire, le fusain risque de glisser sur la surface du papier et vous vous trouverez alors dans l'impossibilité de tracer un seul trait. Le papier doit posséder une texture susceptible de provoquer une légère abrasion du fusain.

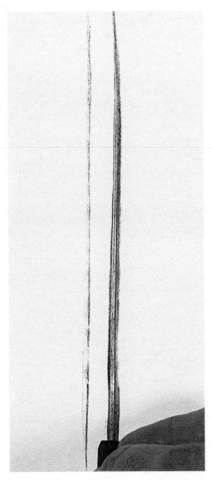

▼ 1. *Pour tracer des lignes droites sans que le trait tremble, tenez le fusain à plat entre vos doigts, dans le sens longitudinal. Dessinez tout d'abord une ligne très ténue, en exerçant une faible pression sur le papier ; le corps du fusain vous servira de guide et vous permettra d'éviter que votre trait dévie. À côté de cette première ligne, tracez-en une seconde, en appuyant un peu plus sur le fusain ; la pression exercée étant plus forte, le trait sera plus foncé.*

▼ 2. *À partir de ces deux lignes, tracez-en d'autres, également au fusain, mais en le tenant cette fois dans le sens transversal pour utiliser toute la largeur du bâton. L'épaisseur maximale du trait correspondra à cette largeur car toute la surface du fusain est utilisable en tant que médium. Cela vous permettra de dessiner des lignes droites ou des courbes très épaisses.*

▼ 3. *Plus la pression exercée sur le papier est élevée, plus le trait est foncé et intense. Revenons à l'exemple ci-dessus : dessinez quelques traits dans la zone située à gauche, en exerçant une forte pression sur le papier et en faisant tourner le bâton entre vos doigts. Tracez ensuite quelques traits dans la partie inférieure, en alternant les tracés plans et verticaux. Dessinez de fines lignes verticales en zigzags en tenant le bâton à plat entre vos doigts.*

pas à pas
Un arbre

Cet exercice, qui ne présente pas de grande difficulté, est conçu pour que le dessinateur amateur se familiarise avec le fusain et ses possibilités en ce qui concerne la technique du trait et son application dans la pratique. Le sujet choisi est un arbre car il s'agit non seulement d'un modèle simple à schématiser, mais les éléments qui composent les paysages offrent une plus grande liberté de représentation que de nombreux autres thèmes aux lignes beaucoup plus parfaites. Les proportions de votre dessin ne seront peut-être pas identiques à celles du modèle, mais vous pouvez avoir la certitude qu'il s'agira d'un arbre. Le but des premiers exercices que nous vous proposons n'est pas d'obtenir un résultat parfaitement ressemblant au modèle ; celui-ci doit simplement vous servir de référence.

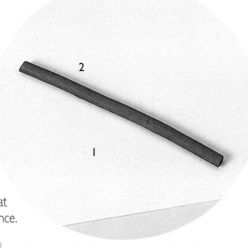

MATÉRIEL NÉCESSAIRE
Papier (1) et fusain (2).

1. *La forme de l'arbre s'inscrit parfaitement dans un volume géométrique rectangulaire. Esquissez les contours de la cime de l'arbre à l'intérieur de ce rectangle, en vous servant de la pointe du fusain pour obtenir un tracé souple et libre ; les formes ne doivent pas nécessairement être très précises. Pour esquisser le tronc, il faut en revanche travailler avec une plus grande exactitude ; tenez le fusain à plat et longitudinalement, dans le sens du trait, pour que le tracé soit sûr.*

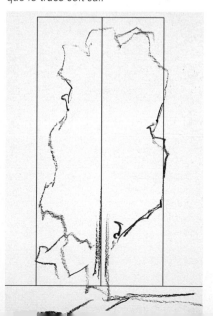

2. *Cet exercice ne vous prendra pas beaucoup de temps car il peut être résolu en quelques traits. Il est important que chaque zone du dessin corresponde à un type de tracé déterminé. Il convient de commencer par la zone située à gauche de l'arbre, en tenant le fusain à plat, dans le sens transversal ; le bâton noircira ainsi une surface équivalente à sa largeur. Cassez le bâton de fusain de façon à ce qu'il possède la largeur adéquate pour couvrir uniquement les zones appropriées, sans empiéter sur le reste de la surface. N'appuyez pas trop sur le fusain car le résultat de ce premier tracé doit être un gris doux. Comme vous pouvez le constater sur la vue ci-contre, le fond du papier reste parfaitement visible après définition du trait.*

Les bâtons de fusain présentent parfois des zones qui ne possèdent pas la couleur typique de ce médium, mais une couleur marron et une texture susceptible de rayer le papier. Le cas échéant, nous vous conseillons de changer de bâton de fusain ou de le frotter sur une feuille ou sur du papier de verre jusqu'à ce qu'il retrouve sa couleur noire.

3. *Dessinez ensuite la partie située à droite de l'arbre, en tenant le fusain à plat, dans le sens transversal, et en suivant les contours dessinés précédemment avec la pointe du bâton. Le premier tracé doit être doux, peu marqué. Repassez ensuite certaines parties des contours en exerçant une pression plus forte pour obtenir un gris légèrement plus foncé. Comme vous pouvez le constater ci-contre, la totalité de la cime de l'arbre ne doit pas être assombrie ; quelques-unes des zones doivent rester blanches. Elles correspondent aux parties les plus lumineuses.*

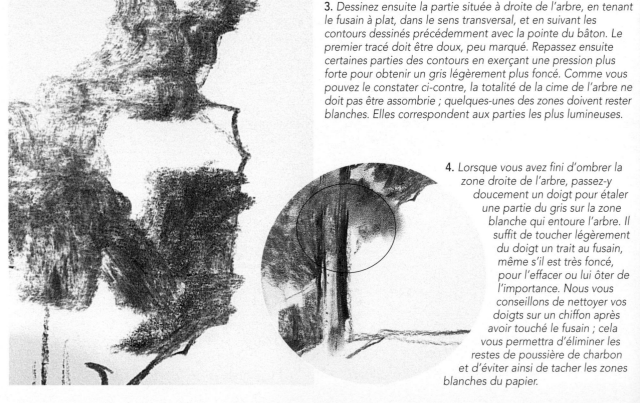

4. *Lorsque vous avez fini d'ombrer la zone droite de l'arbre, passez-y doucement un doigt pour étaler une partie du gris sur la zone blanche qui entoure l'arbre. Il suffit de toucher légèrement du doigt un trait au fusain, même s'il est très foncé, pour l'effacer ou lui ôter de l'importance. Nous vous conseillons de nettoyer vos doigts sur un chiffon après avoir touché le fusain ; cela vous permettra d'éliminer les restes de poussière de charbon et d'éviter ainsi de tacher les zones blanches du papier.*

5. Continuez à assombrir progressivement la cime de l'arbre. Utilisez des morceaux de fusain de différentes tailles pour obtenir des tracés plans et transversaux de largeurs diverses. Insistez plus fortement sur le fusain pour dessiner les zones présentant des ombres plus denses. Utilisez la pointe du fusain pour obtenir les ombres très foncées situées sur le sol et contraster le côté droit du tronc. Tachez votre doigt de fusain et passez-le sur le centre de l'arbre pour y tracer une ligne verticale.

6. Tracez plusieurs traits sur le tronc de l'arbre, avec la pointe du fusain, en tenant le bâton comme s'il s'agissait d'un crayon. Vous pourrez ainsi insister sur les zones foncées et tracer de fines lignes séparées par un espace suffisant pour qu'elles contrastent avec le fond, plus clair. Commencez à dessiner quelques branches avec la pointe du fusain. Tracez ensuite des traits foncés doux sur le côté droit du feuillage, en tenant de nouveau le fusain à plat.

Il s'avère parfois nécessaire d'effacer certaines zones. Pour ce faire, passez un chiffon en coton sur le dessin ; procédez doucement et sans trop appuyer. L'emploi d'un chiffon est en revanche insuffisant pour rendre au papier sa blancheur d'origine ; la solution la plus simple consiste à nettoyer la zone à l'aide d'une gomme.

7. *L'arbre étant entièrement schématisé, rehaussez les contrastes de la cime en tenant le fusain à plat, dans le sens transversal. Avec la pointe du fusain, tracez des traits foncés dans la zone d'ombre située dans la partie inférieure pour augmenter les contrastes de façon encore plus marquée. Dessinez ensuite quelques lignes isolées et très nettes sur la droite du tableau. Ainsi se termine ce premier exercice de dessin qui vous a permis de vous exercer au tracé au fusain.*

Si, au début, vous ne possédez pas une expérience suffisante dans le domaine du dessin au fusain, nous vous conseillons de vous exercer à dessiner les différents types de traits nécessaires à la réalisation des exercices sur des feuilles séparées avant de vous lancer dans l'exécution des modèles eux-mêmes.

SCHÉMA - RÉSUMÉ

Le tracé de la cime de l'arbre s'effectue à plat et dans le sens transversal.

Les contours de l'arbre ont été résolus avec la pointe du fusain ; le tracé de la cime doit être souple et libre.

Pour schématiser le tronc, le fusain se tient à plat, dans le sens longitudinal ; de cette façon, les lignes obtenues sont droites et sûres.

L'ombre de l'arbre sur le sol doit être dessinée avec la pointe du fusain.

La ligne

EMPLOI DE LA LIGNE

La ligne, sous toutes ses formes, est le résultat de l'application de fusain sur du papier, mais ce médium ne permet pas uniquement d'obtenir des lignes fines ; si vous travaillez en tenant le bâton à plat, dans le sens de la largeur, la ligne peut se convertir en une tache. Pour comprendre les formes, il convient de partir de schémas très simples, obtenus à l'aide de quelques lignes ou coups de crayon. Tout objet, quel qu'il soit, peut être réduit à ces lignes de base et élémentaires.

Une construction initiale correcte des lignes facilite l'exécution de toutes sortes de dessins. Le fusain permet en outre de traiter l'élaboration des travaux de façon très progressive. Il est nécessaire de commencer par des tracés très simples qui serviront de base pour la construction des formes plus compliquées. Vous n'aurez aucun mal à exécuter des thèmes complexes si vous suivez les indications fournies dans les pages qui suivent.

► *Tout élément de la nature tel que cette pomme peut être réduit à des formes géométriques simples. Cette opération est un bon exercice pour commencer à étudier les formes élémentaires de n'importe quel objet.*

► *Les lignes ne sont pas nécessairement difficiles à dessiner ; il suffit de tenir le bâton de fusain à plat entre les doigts et de représenter le contour du fruit à l'aide de tracés longitudinaux.*

▼
Nous avons vu que la forme d'un élément de la nature telle qu'une pomme s'inscrit dans un schéma circulaire ; avec un peu de pratique, vous pourrez élaborer des formes beaucoup plus complexes, par exemple une composition florale. La base de cet exercice simple est une forme circulaire ; exécutez-le en tenant le fusain à plat ; schématisez tout d'abord la forme, puis affirmez les traits.

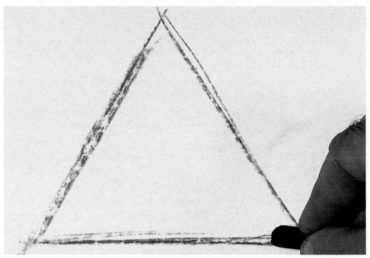

▶ **1.** *Le triangle est une forme géométrique simple à exécuter : schématisez tout d'abord les trois lignes qui le composent en tenant le fusain à plat, puis réaffirmez le tracé avec la pointe du fusain. S'il s'avère nécessaire de corriger certaines lignes, il vous suffit de passer votre main ou un chiffon sur la zone correspondante. Cette première phase est très importante ; le schéma doit être très précis car les tracés ultérieurs dépendent de ce travail initial.*

LIGNES ESSENTIELLES

Nous avons introduit, dans les pages précédentes, l'étude de la schématisation. Celle-ci est essentielle pour l'exécution de modèles qui, à première vue, peuvent sembler complexes car ces modèles peuvent être exécutés à partir d'une forme géométrique simple, par exemple un triangle. Les formes géométriques composées de droites doivent être dessinées en tenant le fusain à plat entre les doigts, dans le sens longitudinal, pour éviter que le poignet tremble.

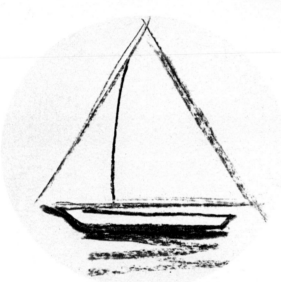

▼ **2.** *Après avoir dessiné le triangle, tracez une forme trapézoïdale simple dans la partie inférieure. Intensifiez ensuite ce trapèze à l'aide d'un second tracé, en exerçant une pression plus forte sur le papier. Pour terminer, tracez un zigzag à main levée pour représenter le reflet sur l'eau.*

▼ *Les triangles permettent de schématiser un grand nombre d'objets, par exemple le bouquet de fleurs ci-dessus. Ses formes sont complexes, mais elles peuvent être dessinées avec beaucoup plus de détails lorsqu'elles s'inscrivent dans un schéma simple. Il est important que le tracé des premières étapes soit léger pour qu'il puisse, si nécessaire, être corrigé sans difficulté.*

> La schématisation d'un modèle à l'aide de formes géométriques simples est la première étape de l'exécution de tout dessin. Une vision juste du schéma de la forme du modèle, quel qu'il soit, représente un avantage certain au moment de passer à l'exécution proprement dite.

RÉAFFIRMATION DU TRACÉ

Nous avons vu comment des formes très simples peuvent donner lieu à de nombreuses autres formes, beaucoup plus complexes. Sans quitter ce thème, nous vous proposons de vous exercer aux différentes possibilités offertes par le tracé dans le cadre de l'élaboration du schéma. Il convient toujours d'élaborer un schéma préalable dont le tracé évolue paral-lèlement à la sûreté des lignes qui le composent. Plus vous avancerez dans l'exécution du dessin, plus les traits devront être définitifs et plus ils pourront être variés.

Dans le cas de l'exercice que nous vous proposons ci-après, il est important que vous suiviez attentivement toutes les phases du dessin, sans en omettre une seule.

Ce dessin est facile à compléter à partir des formes de base. Les lignes accessoires devenues inutiles peuvent ensuite être effacées d'un simple coup de chiffon.

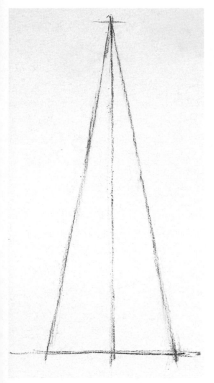

▼ 1. *La première phase doit toujours être très schématique. Les lignes doivent être tracées en tenant le bâton de fusain à plat entre les doigts, dans le sens longitudinal. Vous pourrez ainsi dessiner le premier tracé de façon nette et sans devoir effectuer de grandes retouches ; car l'exactitude de la construction du modèle dépend de ces traits initiaux. Tracez tout d'abord une droite horizontale qui formera la base, puis une ligne verticale perpendiculaire qui servira d'axe de symétrie. Dessinez ensuite l'un des côtés du triangle, puis le second, à égale distance de l'axe de symétrie.*

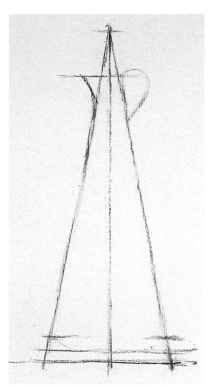

▼ 2. *Vous n'aurez aucune difficulté à des-siner la forme complète d'un pot à partir de ce premier schéma triangulaire. Vous pouvez constater la facilité avec luquelle les nouvelles lignes qui se superposent aux formes précédentes ont été schématisées. Ces lignes doivent être suffisamment nettes pour éviter toute erreur d'exécution au cours des étapes suivantes.*

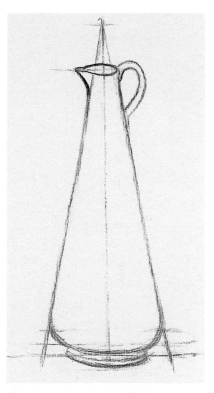

▼ 3. *Le travail de schématisation permet de réaffirmer le tracé qui sera de plus en plus sûr au fur et à mesure que vous avancerez dans l'exécution du dessin. Le schéma facilite l'apport de lignes de plus en plus définitives. Les traits initiaux ayant permis d'obtenir une construction très exacte, ceux qui sont dessinés plus tard peuvent être tracés avec la pointe du bâton de fusain. Repassez uniquement le fusain sur les zones que vous pen-sez ne plus devoir corriger ; vous pourrez ainsi réaffirmer les principaux éléments définitifs du dessin.*

Les éléments qui, à première vue, semblent complexes peuvent toujours être schématisés à partir de formes très simples. Après avoir inscrit la forme générale, vous pouvez y insérer d'autres lignes de schématisation qui, peu à peu, viendront compléter la forme définitive du modèle.

AJUSTEMENT DE LA LIGNE

La ligne doit tout d'abord être esquissée, puis schématisée et enfin ajustée à partir d'un schéma initial conçu pour servir de référence pendant la totalité du processus. Lorsque le dessinateur estime que le schéma réalisé est définitif, il peut passer à l'étape suivante, qui consiste à dessiner des traits qui se superposeront aux précédents pour concrétiser les formes de façon à définir et à terminer le dessin. Il convient de procéder comme lors de la phase initiale, c'est-à-dire de commencer par des tracés doux, puis de passer à des traits d'une plus grande intensité. Les premiers tracés de cette phase devront donc être légers.

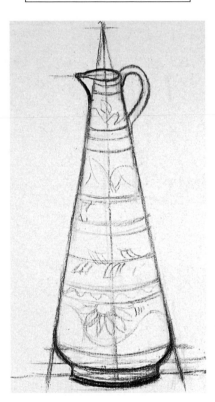

▼ **4.** Il convient d'effectuer de nouvelles interventions au fusain sur le schéma précédent. Le travail consiste à esquisser des lignes douces suggérant le décor du pot, mais en utilisant cette fois la pointe du fusain. La forme extérieure de l'objet est terminée et il vous faut maintenant résoudre des lignes d'un type différent, beaucoup plus libres et moins rigides. Corrigez les éventuelles erreurs avec la main ou à l'aide d'un chiffon ; si le papier est vraiment trop noirci, vous pouvez également utiliser une gomme.

▼ **5.** Cette étape consiste à réaffirmer les lignes initiales du décor du pot mais, avant de le faire, il convient d'effacer à la gomme toutes les lignes qui ont été utilisées pour construire le dessin et sont devenues inutiles. Après avoir éliminé ces lignes superflues, renforcez de nouveau les traits importants, intérieurs et extérieurs. Dessinez ceux de l'intérieur avec la pointe du fusain ; ombrez les traits extérieurs en tenant le bâton de fusain à plat, dans le sens transversal. Insistez sur votre fusain pour obtenir les tons foncés les plus denses à droite.

▼ **6.** Les traits doivent être de plus en plus intenses et définitifs. Assombrissez le côté du pot en y traçant des lignes inclinées très douces. Noircissez la partie foncée de l'ombre au maximum de la capacité du fusain. Les finitions du décor du pot requièrent beaucoup d'attention et de minutie. Après avoir rehaussé les lignes les plus foncées de l'intérieur du pot avec la pointe du fusain, renforcez les traits foncés de la base et de l'anse. Pour terminer, ouvrez un blanc sur le côté gauche du pot à l'aide d'une gomme.

Nature morte au fusain

Pour commencer l'exécution du dessin, il est nécessaire de partir d'un bon schéma linéaire. Chaque trait doit être dessiné à coup sûr ; il est donc indispensable de construire tout d'abord une structure très simple, sur laquelle reposeront toutes les lignes du dessin. Les formes les plus complexes peuvent être construites à partir d'un schéma de base très simple. L'exercice ci-après vous propose non seulement de vous exercer aux différents types de tracés, mais aussi de vous familiariser avec la structure de base des objets. Le modèle que nous avons choisi est une composition florale.

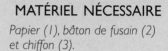

MATÉRIEL NÉCESSAIRE

Papier (1), bâton de fusain (2) et chiffon (3).

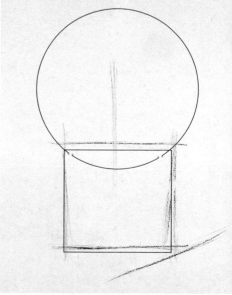

1. *Cette phase de la schématisation s'effectue en tenant le bâton de fusain à plat entre les doigts, dans le sens longitudinal, pour obtenir des traits longs et sûrs. Observez attentivement le modèle : les fleurs sont placées sur une base dont la forme est assez simple ; la première opération consistera à situer celle-ci sur le papier. Tracez une ligne verticale très douce séparant la feuille en deux parties. Dessinez ensuite une forme presque carrée correspondant au volume du pot de fleurs, en tenant toujours le fusain à plat.*

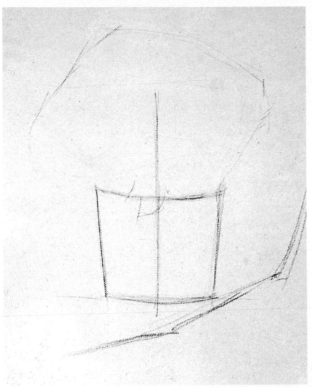

2. L'étape suivante consiste à dessiner les lignes douces qui permettront de compléter la schématisation du modèle ; elles doivent être tracées en tenant le fusain à plat, dans le sens longitudinal. Prêtez une attention particulière à la façon dont la forme du pot doit être corrigée. Redéfinissez les lignes latérales de manière à rétrécir la base du pot ; la distance entre ces traits et l'axe de symétrie, représenté par la ligne verticale qui sépare la feuille en deux, doit être identique des deux côtés. Après avoir effectué cette retouche, passez un chiffon pour éliminer les traits latéraux devenus superflus puisque la forme du pot de fleurs a été modifiée et qu'il n'est plus carré. Suggérez les fleurs à l'aide de traits englobant l'ensemble de la forme, sans entrer dans les détails.

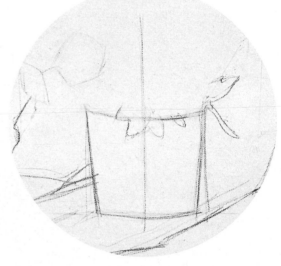

3. Le schéma précédent constitue une bonne référence pour l'exécution d'un autre schéma, légèrement plus détaillé. Vous devez toujours procéder de façon progressive, c'est-à-dire ne pas inclure de détails au début, et vous préoccuper en premier lieu de l'ensemble avant de vous consacrer séparément aux éléments qui le composent. Réaffirmez les lignes qui définissent le pot de fleurs, en tenant le fusain à plat de façon à ce que le tracé soit ferme et sûr ; suggérez ainsi l'arrondi de la base. Schématisez ensuite, de façon très superficielle, la forme des principales fleurs et les lignes des plis du tissu.

4. Les lignes essentielles de la structure étant élaborées, vous pouvez commencer à concrétiser plus précisément les formes de la nature morte. En l'absence de schéma initial, il vous aurait été difficile de définir l'emplacement exact des fleurs. Comme vous l'avez fait pour l'ensemble, schématisez maintenant les formes générales de chacun de ses éléments ; vous respecterez ainsi la règle d'élaboration progressive citée précédemment. Représentez chacune des fleurs sous l'aspect d'une forme fermée, sans inclure aucun détail.

5. Le schéma initial étant bien défini, vous pouvez vous consacrer aux détails, en utilisant cette fois la pointe du fusain, comme s'il s'agissait d'un crayon. La forme dans laquelle s'inscrit chacune des fleurs vous permettra de définir l'espace exact occupé par les pétales. Pour les représenter, augmentez progressivement la pression exercée sur le fusain de façon à diminuer l'importance visuelle des tracés préalables qui vous ont servi de référence.

Le fusain s'use très vite ; nous vous conseillons donc de disposer d'un certain nombre de bâtons en réserve. Étant donné que la totalité de la surface du fusain s'utilise pour dessiner, le bâton présentera toujours un côté approprié pour tracer des lignes nettes et fines en raison de l'usure du reste de sa surface.

6. À l'aide d'un chiffon, effacez toutes les lignes utilisées pour la construction de la nature morte et devenues inutiles. Évitez d'exercer une pression trop forte car le fusain risquerait de s'incruster dans la texture du papier ; si le trait est simplement suggéré, il vous suffira de passer un coup de chiffon sur la zone concernée pour éliminer tout reste de fusain. Ne vous inquiétez pas si vous n'arrivez pas à effacer la totalité de ces traits ; le plus important est de faire ressortir les lignes les plus définitives. Vous allez d'ailleurs certainement éliminer quelques-unes d'entre elles pendant cette phase et devrez donc les recomposer et retracer ainsi l'ensemble du dessin. Accusez les traits qui définissent les fleurs et le pot, et tracez les contours des lignes du fond en exerçant une plus forte pression sur le papier.

Évitez à tout prix d'exécuter des tracés discontinus et superposés (c'est l'un des principaux défauts des dessinateurs amateurs). Le tracé doit être unique et continu, et présenter une texture énergique sur toute la longueur de la ligne.

7. À ce stade, le dessin est pratiquement terminé ; les zones les plus importantes de la nature morte ont été dessinées. Il ne vous reste plus qu'à assombrir le fond, c'est-à dire la zone située derrière le bouquet, sans oublier la partie visible entre les fleurs. Avec la pointe du fusain et d'un geste rapide, tracez des lignes droites très foncées. Ombrez également les rideaux du fond en différentes intensités de gris, mais en tenant cette fois le fusain à plat, dans le sens transversal.

Quel que soit le travail réalisé, les différentes étapes d'un processus de dessin doivent toujours être exécutées selon une progression déterminée : la concrétion et la précision du tracé doivent évoluer de l'ensemble aux détails et leur intensité de faible à forte.

SCHÉMA - RÉSUMÉ

La schématisation initiale **des fleurs** a pour résultat une forme générale très simple ; la phase suivante s'effectue avec la pointe du fusain.

Le début consiste en l'exécution d'un schéma très simple, fondé sur la division de l'espace, en tenant le fusain à plat, dans le sens longitudinal par rapport au tracé. La forme du pot s'inscrit dans un schéma carré.

Le fond combine deux techniques : l'emploi du fusain tenu à plat et dans le sens transversal, et l'utilisation de la pointe du bâton pour tracer des lignes qui s'entrecroisent.

Après élimination au chiffon des traits accessoires devenus inutiles, **les lignes de la nature morte doivent être réaffirmées** avec la pointe du fusain, comme s'il s'agissait d'un crayon, pour que le tracé soit sûr.

La composition et les différents plans du schéma

LA COMPOSITION

La composition consiste en la recherche d'un équilibre entre les différents éléments du tableau. Elle fait partie de la schématisation car c'est au cours de ce processus que le dessinateur structure chacune des parties du dessin. S'il est important de tenir compte des proportions existant entre chacune des zones qui composent le modèle lors de la composition d'éléments individuels, dans le cas des compositions formées de plusieurs objets, les proportions existant entre ceux-ci doivent également être respectées.

Dans le thème précédent, nous avons étudié comment schématiser des objets à l'aide de lignes simples et comment élaborer des formes complexes à partir du schéma obtenu. La représentation d'objets susceptibles d'être considérés comme un ensemble d'éléments requiert une étude préalable de l'emplacement de chacun d'entre eux pour que le dessin possède un certain équilibre esthétique. La composition est la répartition des éléments sur la surface du tableau. Bien que la composition ne soit pas l'un des aspects les plus complexes du dessin, il est nécessaire de s'y exercer pour obtenir un bon résultat. Outre la répartition des objets sur le tableau, la composition possède un autre aspect qui lui est propre : la séparation des plans sur le modèle ; la définition de ces plans s'effectue au cours de la schématisation.

▶ 1. *L'exercice que nous vous proposons ici consiste à représenter une théière en tenant compte des proportions internes qui existent entre les différentes parties de cet objet.*

▶ 2. *De nombreux dessinateurs amateurs auraient certainement tendance à inscrire le corps de cette théière dans un cercle mais, si vous l'observez avec attention, vous remarquerez que sa forme n'est pas vraiment circulaire. Celle-ci étant esquissée, schématisez le bec verseur ; il doit être presque centré en hauteur et son extrémité doit dépasser le haut du corps de la théière.*

▼

3. *S'il est important d'étudier la distance comprise entre le haut du bec verseur et la base du couvercle, il convient également d'évaluer celle qui sépare le haut de l'anse et la base de façon qu'elle soit suffisante pour accueillir le couvercle et la poignée. S'agissant d'un premier exercice, vous pouvez réaliser divers schémas et évaluer les distances sur une feuille séparée. Vous pouvez également, si nécessaire, vérifier les dimensions sur le modèle ci-dessus.*

▶ Ce modèle s'inscrit dans une forme presque triangulaire dont les sommets sont définis par les éléments situés dans les coins. Les compositions de type triangulaire sont très fréquentes et permettent de résoudre facilement des thèmes assez complexes. Vous constaterez que le modèle ci-contre n'est pas symétrique ; il est déconseillé de composer les natures mortes ou les modèles de façon parfaitement symétrique car l'asymétrie a toujours un effet positif sur l'intérêt de la composition d'un ensemble. Nous vous conseillons de suivre ce conseil pour cet exercice.

EMPLACEMENT DES DIFFÉRENTS ÉLÉMENTS

Pour situer correctement les éléments composant un modèle, vous devez être capable de considérer celui-ci comme s'il s'agissait d'un tout. La schématisation générale vous aidera à envisager le modèle de cette façon. Comme dans le cas des sujets formés d'un seul élément, il est important de respecter les proportions existant entre les différentes parties des objets lorsque le modèle en comporte plusieurs. Nous vous proposons ici trois exercices dont les modèles sont composés de plusieurs objets. La forme générale de la composition de chacun de ces ensembles figure sur les photographies. Dessinez cette forme sur le papier. Si vous comparez les trois exemples de cette page, vous constaterez qu'ils possèdent des points communs : les formes de la composition ne sont pas symétriques et en aucun moment elles ne sont centrées.

▶ Lorsque le modèle est composé d'une combinaison d'éléments de hauteurs similaires, la composition n'est plus triangulaire, elle possède une forme polygonale plus complexe. L'exécution du schéma initial est plus laborieuse, mais le nombre de points de référence, qui constituent les sommets de la forme géométrique, est plus élevé. Tenez compte des distances qui séparent les points qui délimitent les objets et de celles comprises entre ces points et les bords du tableau lorsque vous transférez les mesures sur le papier.

▶ Comme vous pouvez le constater sur cet exemple, toute composition, même celles qui peuvent sembler complexes au premier abord, peut être schématisée à l'aide de lignes qui facilitent la compréhension de la forme générale.

I. *Schématiser un modèle consiste à le représenter par l'intermédiaire de lignes simples grâce auxquelles il sera parfaitement délimité. Il convient d'observer attentivement le sujet et de tenter de structurer sa forme avant de commencer à le schématiser. Une bonne observation est l'une des principales bases de travail du dessinateur.*

LES DIFFÉRENTS PLANS ET LES PROPORTIONS

Dans le paragraphe précédent, vous avez pu observer quelques compositions et leurs schémas de base. La composition ne se limite pas à l'exécution du schéma des formes externes, qui constitue uniquement le début de la structuration du dessin. Il convient de revoir le premier point abordé dans ce thème, dans lequel nous avons étudié la façon dont se structure la composition pour un objet unique. Cette ressource doit également être utilisée lorsque le modèle est composé d'un ensemble d'éléments. Nous vous indiquons ici comment calculer les proportions de chacun des objets ou plans de la composition.

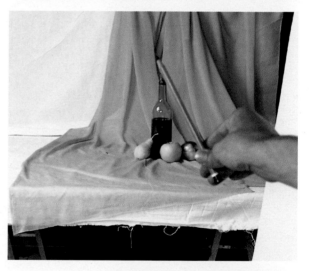

2. *L'espace peut être divisé de plusieurs façons ; l'une d'entre elles consiste à travailler à partir du modèle réel, en comparant les formes qui le composent avec des éléments simples. Vous ne pourrez dessiner le cadre, la composition et le schéma sur le papier que lorsque vous aurez compris le modèle. La méthode ci-contre vous permettra de déterminer l'inclinaison des lignes de la composition. Vous ne pourrez l'évaluer que si vous fermez un œil.*

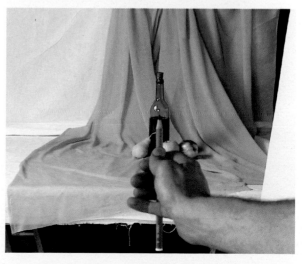

3. *Utilisez un crayon à papier ou le bâton de fusain en tant que référence et étendez le bras ; cela vous permettra d'évaluer les dimensions sur le papier avec une assez grande précision. Cette méthode permet également de comparer les proportions entre les divers objets. Vous remarquerez ainsi, sur l'exemple ci-contre, que la distance qui sépare la base de la bouteille et le niveau du vin est égale à celle comprise entre ce niveau et le bouchon.*

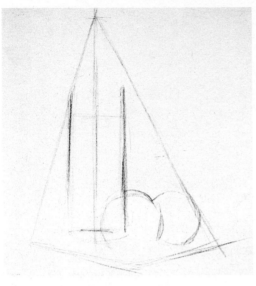

▶ 1. *Le schéma de composition de cet exemple présente une forme triangulaire parfaitement définie. La base n'est pas totalement plane car la pomme située au centre correspond à un sommet qui augmente le dynamisme de la forme de l'ensemble. La hauteur de la bouteille correspond au sommet supérieur de la forme triangulaire. Tenez le fusain à plat et dans le sens longitudinal pour tracer le plus précisément possible les lignes de ce premier schéma.*

LA LIGNE ET LE TRAIT DANS LA COMPOSITION

Après avoir étudié le modèle, déterminé la structure de sa composition et compris la répartition des différents plans, construisez le schéma ; ne commencez à exécuter le dessin proprement dit que lorsque vous aurez terminé cette phase de schématisation. Les éléments dont il convient de tenir compte lors de ce processus de construction sont tout d'abord la forme générale, puis les éléments et leurs proportions. Nous vous proposons ici un exercice basé sur le modèle de la page précédente ; cet exercice consiste uniquement en l'élaboration du schéma de composition.

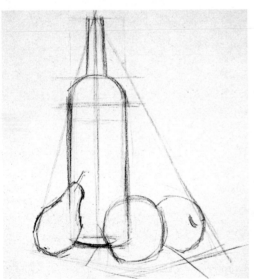

▶ 2. *Le schéma initial vous permet de concrétiser les formes de tous les objets situés à l'intérieur de ses contours. Utilisez cette fois la pointe du fusain pour mieux maîtriser les traits courts. De cette manière, nous réalisons la schématisation des autres fruits. La mise en œuvre de ce schéma étant terminée, les lignes qui vous ont servi à schématiser et à composer la nature morte et sont devenues inutiles peuvent être effacées. Lorsque le modèle présente des formes ou des plans superposés, dessinez toujours les parties situées au premier plan comme si elles étaient transparentes ; cela vous permettra de déterminer où commence chaque ligne et où elle se termine.*

> Le schéma de composition d'un modèle étant une phase transitoire du processus, son tracé doit être doux ; exercez une faible pression sur le papier pour faciliter l'élimination ultérieure des lignes qui devront être effacées lorsqu'elles seront devenues inutiles.

▶ 3. *Après avoir schématisé l'ensemble des éléments du tableau, réaffirmez les lignes définitives et éliminez celles qui sont devenues inutiles. Il ne vous reste plus ensuite qu'à définir la forme des arrondis et celle des lignes de l'intérieur de la bouteille.*

pas à pas
Fruits et bouteille

Tout au long de ce thème, nous avons pu étudier différents aspects de la composition et de sa schématisation. Nous vous conseillons de prêter une attention particulière aux premières phases d'exécution du modèle car cela représentera un grand avantage lors des étapes ultérieures. Plus le modèle sera structuré, plus la compréhension de chacun des éléments qui le composent s'en trouvera facilitée. Cet exercice va au-delà de celui du thème précédent ; bien que les objets soient similaires, nous étudierons ici la structure de chacun d'entre eux et la superposition des plans de façon plus approfondie.

MATÉRIEL NÉCESSAIRE

Papier à dessin (1), fusain (2), fusain comprimé (3), gomme malléable (4), chiffon (5), pinces (6), planche (7) et fixateur pour fusain (8).

1. *La forme de base de cette nature morte est un triangle. La bouteille, qui est située légèrement à droite des fruits, fournit la hauteur de référence pour tous les éléments. Lorsque vous avez assimilé la composition triangulaire de l'ensemble, schématisez séparément chacune des formes, en tenant compte de la relation qui existe entre leurs emplacements et des distances qui les séparent. La base de la pomme la plus à gauche est située sur un plan légèrement plus haut que le fond de la bouteille ; la pomme de droite s'interpose entre la bouteille et la pomme du fond.*

37

2. *Le schéma utilisé pour cet exemple est basé sur des formes rectangulaires et constitue une bonne approche des formes définitives des éléments du dessin. Les pommes sont simples à exécuter à partir des rectangles dans lesquels elles s'inscrivent. Pour dessiner la bouteille, schématisez la forme semi-circulaire de la base du goulot et, à partir de celle-ci, dessinez le goulot lui-même.*

3. *Après avoir schématisé chacun des éléments de cette nature morte, noircissez les zones foncées et dessinez les détails. En ce qui concerne la pomme du fond, utilisez la pointe du fusain pour tracer la zone la plus proche de l'autre pomme. Un tracé énergique et intense vous permettra d'obtenir un ton noir très profond. Passez-y ensuite doucement le doigt pour étaler le fusain sur toute la surface de cette pomme. Repassez le fusain sur la zone la plus foncée pour l'assombrir encore plus intensément. Ouvrez la zone correspondant au reflet à l'aide d'une gomme.*

4. *Finissez de réaffirmer le schéma de la bouteille, en traçant cette fois des lignes beaucoup plus définitives qui allongeront et styliseront le goulot. Assombrissez les contours de la bouteille avec la pointe du fusain. Noircissez toute la surface intérieure de la bouteille, excepté les zones les plus lumineuses, en y passant vos doigts tachés de fusain. À l'aide d'une gomme, ouvrez un blanc dans la zone de la partie foncée qui correspond au reflet.*

5. *Ombrez la pomme située au premier plan en y passant vos doigts encore tachés de fusain ; le ton doit être assez clair pour contraster avec celui de la pomme du fond. La gomme est un accessoire particulièrement utile pour ce type d'exercice car elle permet de nettoyer les zones tachées par erreur ou, comme dans le cas présent, d'ouvrir des blancs destinés à représenter les reflets sur une surface noircie au fusain.*

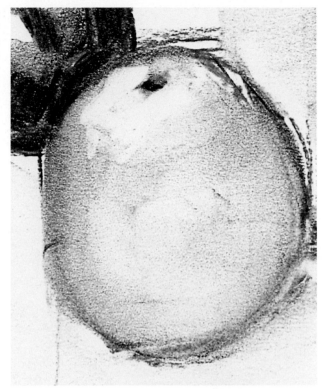

La composition doit rechercher l'harmonie entre les formes et l'espace qu'elles occupent. Les éléments doivent être placés de façon à ce qu'ils ne soient ni trop centrés ou proches les uns des autres, ni trop dispersés.

6. *L'emploi d'un fixateur en spray vous permettra d'éviter qu'un accident ou un contretemps endommage le dessin que vous venez d'exécuter. Assurez-vous d'avoir effacé toutes les lignes accessoires avant de fixer le dessin car vous ne pourrez plus les éliminer lorsque vous aurez appliqué le fixateur. Le dessin ayant été fixé, tracez les contrastes les plus intenses sur le goulot et sur le fond de la bouteille.*

Le cadre de la composition constitue une aide importante pour la répartition et l'approche des éléments composant le modèle.

7. *Dessinez quelques traits foncés très denses sur la pomme du fond pour qu'elle contraste parfaitement avec la pomme située au premier plan. Ces derniers traits très denses s'effectuent au fusain comprimé car ce type de médium permet d'obtenir des noirs beaucoup plus foncés que les bâtons de fusain ordinaires. Dessinez également quelques traits foncés sur la bouteille, puis estompez-les doucement avec les doigts. Contrastez la pomme située au premier plan en y passant vos doigts tachés de fusain et ouvrez les blancs dans les zones des reflets. Pour terminer cet exercice, tracez et estompez les zones correspondant aux ombres projetées sur la table.*

Pour éviter que votre dessin au fusain s'efface ou perde sa consistance, il est nécessaire que vous le protégiez à l'aide d'un fixateur en spray. Ce produit fixera définitivement le fusain et votre dessin.

SCHÉMA - RÉSUMÉ

Chacun des éléments de la nature morte s'inscrit dans **un schéma rectangulaire.**

La gomme permet d'ouvrir des zones de reflets très localisées.

La base de la pomme du fond est située sur un plan légèrement plus haut que le fond de la bouteille.

Les tracés se superposent au cours de la construction des différents plans de la composition.

Dessin à la sanguine

LA SANGUINE, UNE AUTRE VISION DU DESSIN

La sanguine peut être employée en complément de n'importe quel autre médium sec. Nous vous proposons ci-après un exercice simple concernant l'usage combiné de la sanguine et du fusain.

La sanguine offre une infinité de possibilités de tons et son emploi est pratiquement identique à celui du fusain, mais les résultats obtenus sont si dissemblables qu'ils semblent provenir de deux médiums totalement différents. Les dessins à la sanguine sont parmi les plus beaux. La sanguine n'est comparable avec aucun autre médium graphique en raison de la chaleur qui émane de son tracé. Les traits et les dégradés à la sanguine se combinent en outre parfaitement avec d'autres médiums graphiques tels que le fusain.

▶ 1. *Ce fruit possède une forme de cercle légèrement déformé dans ses zones supérieure et inférieure. Dessinez la petite dépression de la zone supérieure dès le début de la schématisation ; le trait doit être fin et sûr. Lorsque le schéma est terminé, noircissez les zones foncées de la nectarine avec un bâton de fusain, en tenant celui-ci à plat entre vos doigts. La présence des traits au fusain ne doit pas être trop forte dans la zone située sur la gauche ; elle doit se limiter au premier ton. La pression exercée sur le fusain doit par contre être beaucoup plus élevée dans la zone qui se trouve sur la droite. Colorez la zone gauche de la nectarine avec un morceau de sanguine similaire au bâton de fusain, en le tenant à plat entre vos doigts. Comme vous pouvez le constater sur cet exemple, le fusain et la sanguine sont des médiums qui s'intègrent parfaitement.*

2. *Éliminez délicatement les excès de contraste au chiffon et, du bout du doigt, estompez la partie la plus foncée de l'ombre dessinée au fusain. Pour terminer, concrétisez la forme avec le bâton de sanguine, en laissant en blanc les zones correspondant aux reflets, et ombrez doucement, mais avec insistance, les parties dans lesquelles vous souhaitez accuser la couleur rougeâtre.*

POSSIBILITÉS DE TRACÉ

Comme les éléments individuels, les ensembles de formes doivent eux aussi être construits en respectant les proportions qui existent entre chacune des parties des objets. Nous vous proposons, ci-après, trois exercices simples fondés sur différents modèles, sur lesquels nous avons schématisé la forme générale de la composition. Tracez cette forme sur le papier.

▶ *1. Si votre bâton de sanguine est neuf, cassez-le de façon à obtenir deux morceaux d'une longueur similaire. Commencez à dessiner transversalement par rapport au trait, en tenant un de ces deux morceaux à plat entre vos doigts. Comme vous pouvez le constater, le toucher de la sanguine sur le papier diffère de celui du fusain : la sanguine présente une plus grande densité de couverture de surface et est légèrement plus sableuse que le fusain.*

2. Les traits réalisés avec la pointe de la sanguine sont plus précis que ceux exécutés au fusain. Tracez les lignes qui définissent les contours des feuilles et des pétales situés sur la gauche avec la pointe de la sanguine. Le tracé doit être suivi, ininterrompu. Les traits dessinés avec la pointe de la sanguine peuvent être similaires à ceux tracés au crayon.

▶ *3. Vous pouvez ombrer la totalité d'une surface et aller jusqu'à fermer les pores du papier en exerçant une pression appropriée sur le bâton de sanguine. Couvrez tout le fond situé sur la gauche du dessin en exerçant une forte pression sur le bâton de sanguine et en tenant celui-ci à plat entre vos doigts. La sanguine peut également être appliquée au pinceau ; dans ce cas précis, peignez le côté droit du dessin à l'aide d'un gros pinceau en soie de porc ; vous obtiendrez ainsi un estompage très particulier.*

LE PAPIER DE COULEUR ET LA SANGUINE

La sanguine présente un aspect chaud et opaque, et offre les mêmes possibilités d'estompage que le fusain. Associée à la tonalité d'un papier de couleur, cette caractéristique permet d'obtenir un intense effet d'intégration entre ces deux médiums graphiques. Les tons du papier de couleur s'unissent parfaitement à ceux offerts par la sanguine. Dans cet exercice, nous vous proposons à nouveau de combiner l'emploi de la sanguine et celui du fusain, mais sur un papier de couleur ; bien que le processus soit aussi simple que celui employé lors de l'exercice précédent, la différence est évidente en ce qui concerne les finitions et la texture.

I. Cet exercice simple est basé sur le dessin d'un fruit à l'aide de deux tons : le premier provient du fusain et le second de la sanguine. Le schéma préalable doit être exécuté au fusain. Ombrez les zones foncées en tenant le bâton à plat. Passez ensuite un doigt sur ses contours pour fondre le tracé sur le papier.

▼ *2. Superposez des traits de sanguine aux parties dessinées au fusain ; laissez la zone correspondant au reflet en réserve. Frottez doucement la surface avec le doigt de façon à ce que les tons de la sanguine et du fusain se fondent. Si vous avez recouvert la zone correspondant au reflet par erreur, vous pouvez l'ouvrir à l'aide d'une gomme.*

▼ *3. Couvrez le fond avec un noir dense et fermé ; le fruit et la table sur lequel il est posé acquièrent ainsi une luminosité et un volume considérables. Lorsque le fond est totalement assombri, le volume du fruit devient très réel car celui-ci se détache parfaitement sur le noir.*

POUDRE DE SANGUINE ET PINCEAU

▶ **1.** *La sanguine peut être appliquée de différentes façons sans perdre le caractère graphique qui la caractérise. Ce médium est composé d'argile, à laquelle le fabricant ajoute de la gomme arabique diluée dans de l'eau pour obtenir une pâte qui, lorsqu'elle sèche, donne lieu à la sanguine. Si vous rayez un bâton de sanguine ou si vous le pressez fortement, vous obtiendrez de la poudre. Dans l'exercice ci-après, nous vous proposons de travailler avec de la poudre de sanguine et un pinceau. Le pinceau doit être humidifié à l'eau pour que la poudre y adhère.*

Pour obtenir de la poudre de sanguine très fine, frottez doucement le bâton sur du papier de verre à grain fin. Vous pourrez ensuite déposer la poudre résultant de cette opération sur une feuille de papier et la prélever directement à l'aide du pinceau.

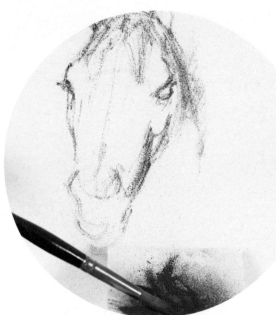

▼ **2.** *Utilisez un pinceau en soie de porc que vous aurez humidifié à l'eau pour que la poudre y adhère. Commencez à dessiner avec la sanguine en poudre : esquissez tout d'abord la tête du cheval ; le tracé doit être fin. L'humidité du pinceau ne sert ni à diluer la poudre ni à mouiller le papier, elle permet uniquement à la poudre d'adhérer à la touffe du pinceau ; vous pourrez donc corriger les traits de sanguine d'un simple coup de chiffon.*

▼ **3.** *Pour terminer, tracez des lignes qui finiront de contraster les zones les plus foncées. Ces traits peuvent être légèrement plus humides de façon à ce que la sanguine forme une masse plus compacte sur le papier. Lorsque le travail est terminé, il convient de fixer le dessin à l'aide d'un fixateur en spray pour le stabiliser.*

pas à pas
Schématisation à la sanguine

La sanguine est un médium graphique qui offre une grande variété de ressources ; elle permet de réaliser toutes sortes de tracés et ressort suffisamment sur les papiers de couleur. Cette grande variété de ressources fait de la sanguine un médium particulièrement adapté à l'exercice que nous vous proposons ci-après et qui consiste à dessiner une première ébauche de modèle. Comme dans tous les cas que nous avons traités jusqu'ici, la schématisation constituera la première étape de ce travail ; vous dessinerez des lignes générales basées sur des formes géométriques simples qui, peu à peu, prendront forme.

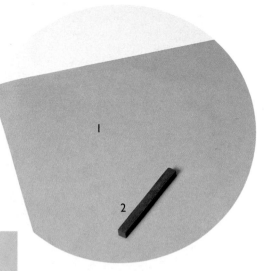

MATÉRIEL NÉCESSAIRE
Papier de couleur (1) et sanguine (2).

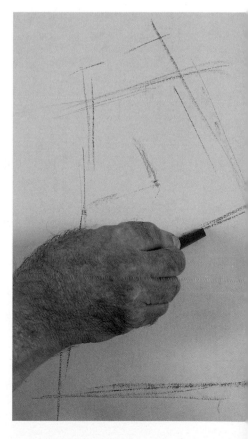

1. *Avant de commencer à dessiner, essayez de comprendre la forme générale du modèle en tant que figure géométrique la plus simple possible. Dans quelle forme cette silhouette pourrait-elle s'inscrire ? Si vous tracez une ligne droite verticale partant du bras, vous remarquerez que, dans sa partie inférieure, elle coupe le pied. Tracez les premières lignes avec le chant du bâton de sanguine. Résolvez la base du modèle à l'aide d'une ligne horizontale droite et fermez la forme géométrique sur le côté droit par une ligne inclinée ; le résultat compose une forme quasi triangulaire. Après avoir résolu le schéma externe, procédez de même pour les formes intérieures : schématisez tout d'abord l'espace compris entre le bras et la poitrine, puis l'inclinaison de la jambe.*

45

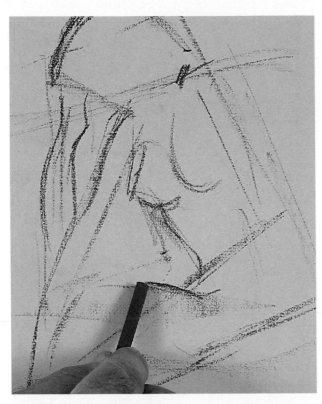

2. *Après avoir tracé la ligne d'inclinaison de la jambe, dessinez celle qui permet de définir la position du bras. Esquissez ensuite la forme de la tête dans la partie supérieure de ce schéma triangulaire. Comme vous pouvez le constater, cette partie du corps s'inscrit également dans une forme géométrique. Comme vous l'avez fait pour l'espace compris entre le bras et la poitrine, il vous est maintenant facile de définir l'emplacement des seins et d'esquisser le bras sur lequel s'appuie la tête. Tracez ensuite la ligne de naissance de la cuisse avec la pointe du bâton de sanguine.*

Les lignes tracées jusqu'à maintenant doivent posséder une fonction exclusivement constructive. Avant de dessiner tout autre trait, nous vous conseillons de repasser visuellement l'ensemble de l'exercice et d'essayer de découvrir l'équivalence de chacune des lignes tracées avec celles du modèle photographique.

3. *Finissez d'esquisser la forme du bras gauche en vous basant sur la ligne inclinée qui se termine à la hauteur de la cuisse et sur celle qui schématise l'ensemble du côté droit. La ligne qui mène du début de la cuisse au bras définit l'extension de la jambe. Situez la jambe qui prend appui au sol à l'aide d'un trait net. Ombrez ensuite les principales zones foncées avec un morceau de sanguine, en le tenant à plat.*

4. *Les zones foncées que vous avez ombrées lors de la phase précédente séparent les différents plans du dessin et donnent du volume au sujet. Rehaussez les contrastes de ces zones à la sanguine, en tenant le bâton à plat, et sans couvrir les parties les plus lumineuses. Observez ci-contre la façon dont les jambes ont été résolues. Traitez les genoux en tant que points de lumière. Finissez de dessiner la jambe qui prend appui au sol, en tenant le bâton de sanguine longitudinalement par rapport au tracé.*

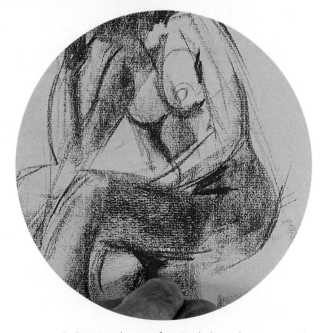

5. *Peu à peu, le modèle prend forme. Effectuez les retouches sur le moment et non pas à la fin du travail. Ne vous inquiétez pas si plusieurs lignes se superposent ; cela n'est pas grave si elles améliorent le schéma général et permettent d'éviter toute confusion. Les lignes principales étant définies, dessinez quelques contrastes doux sur le torse et sur la zone d'ombre du siège.*

6. *Dessinez la zone foncée de la jambe superposée avec la pointe du bâton de sanguine. Les tons moyens et les tons les plus lumineux gagnent en luminosité lorsque vous appliquez des tons foncés plus denses car le contraste entre les différentes zones augmente.*

7. *Le schéma du sujet est totalement terminé. Vous pouvez maintenant tracer beaucoup plus librement les traits destinés à renforcer les lignes qui définissent les bras et les jambes. Rehaussez les tons foncés les plus denses et contrastez fortement le fond avec la pointe du bâton de sanguine. Ainsi se termine cette ébauche de personnage. Comme vous avez pu le constater, nous n'avons pas traité les détails et avons, à tout moment, centré l'ensemble du dessin sur le schéma et la construction à partir de formes simples.*

Comme pour tout autre médium graphique, le schéma de base du travail à la sanguine doit être centré sur la représentation de l'ensemble. Le traitement des détails et des nuances doit être réservé à des phases ultérieures du processus.

SCHÉMA - RÉSUMÉ

Le schéma initial inscrit la silhouette dans une forme pratiquement triangulaire ; il est exécuté en tenant le bâton de sanguine à plat et en traçant des traits allongés.

Les contrastes les plus intenses des ombres sur le corps se tracent avec la pointe du bâton de sanguine pour que leurs contours soient nets.

Les premières lignes sont toujours les plus schématiques ; la ligne de la jambe, le bras et le schéma de l'espace compris entre le bras et le torse permettent de mieux délimiter la forme de la silhouette.

Les zones foncées doivent être ombrées en tenant le bâton de sanguine à plat et en faisant varier la pression exercée sur celui-ci en fonction de l'intensité du ton de chaque zone.

5 Rehauts à la craie blanche

SANGUINE ET REHAUTS DE BLANC

Le rehaut consiste simplement en l'apport d'un ton beaucoup plus lumineux que le papier et que les autres médiums utilisés. En général, lorsque le travail s'effectue sur un papier de couleur, les tons susceptibles d'être obtenus au fusain ou à la sanguine sont limités par la propre couleur du papier ; ce problème peut néanmoins être résolu en ajoutant des zones de couleur blanche. Le contraste ainsi créé est si fort que le dessin acquiert un nouvel intérêt.

Les tons susceptibles d'être dessinés sur papier sont si nombreux que n'importe quel thème, aussi complexe qu'il soit et même s'il est composé d'une grande variété de formes et de couleurs, peut être représenté à partir des diverses gradations offertes par les médiums graphiques. Dans le thème précédent, nous avons étudié comment utiliser la sanguine sur le papier de couleur ; nous verrons ici que les reflets acquièrent une grande présence lorsqu'ils sont renforcés à la craie blanche.

▶ 1. *La couleur de la sanguine serait à peine perceptible sur un papier aussi foncé que celui que nous allons utiliser pour cet exercice ; nous vous proposons donc d'employer deux médiums qui vous permettront d'obtenir un contraste plus intense sur un papier de couleur terreuse : le fusain et la craie blanche. La première phase du travail consiste à esquisser le paysage au fusain ; tracez la ligne d'horizon et ombrez fortement toute la zone foncée qui correspond au ciel, mais sans empiéter sur la partie occupée par les nuages.*

L'application de craie sur les zones les plus lumineuses d'un dessin à la sanguine augmente considérablement l'impact de l'effet obtenu.

2. *Couvrez la totalité de la zone correspondant aux nuages avec de la craie blanche. Passez la main sur la craie pour l'estomper sur le fond du papier et définissez la forme des nuages avec le doigt. Ombrez quelques zones au fusain et estompez-les avec les doigts ; la fusion entre la craie et le fusain provoque l'apparition de différentes tonalités de gris. Pour terminer, dessinez les zones les plus lumineuses directement à la craie blanche, sans les estomper. La craie blanche permet de réaliser toutes sortes de tracés et de travaux de fusion.*

▶ **1.** *La schématisation de la forme est toujours fondamentale dans le dessin. C'est un processus si simple et si élémentaire que le dessinateur peut parfois avoir tendance à ne pas en tenir compte ; cette omission est à l'origine de dessins mal proportionnés et mal construits. Sans schématisation préalable correcte, il est impossible d'exécuter un bon dessin. En ce qui concerne cet exercice, schématisez la forme de la pomme de la façon la plus nette possible, sans ombres et en traçant uniquement les lignes principales. Prenez un petit morceau de fusain et couvrez les principales zones d'ombre en le tenant à plat et dans le sens transversal, mais sans empiéter sur la partie la plus lumineuse. Dessinez également l'ombre projetée sur la table.*

EMPLOI DE LA CRAIE BLANCHE

N ous avons vu précédemment que la craie blanche peut compenser le manque de clarté du dessin sur du papier de couleur et que la luminosité obtenue de cette façon est plus intense que celle susceptible d'être atteinte sur du papier blanc. Le modèle que nous avons choisi pour cet exercice est une pomme ; le processus d'élaboration est identique à celui employé pour l'exercice précédent mais, dans ce cas, la fusion est minime entre les tons.

▶ **2.** *Appliquez de la craie blanche autour de la pomme pour que le fruit donne l'impression d'être séparé du fond. Tracez délicatement les rehauts intérieurs ; appliquez uniquement de la craie sur les zones correspondant aux reflets et insistez sur la partie la plus lumineuse.*

▶ **3.** *Appliquez de nouveau de la craie blanche autour du fruit, mais de façon plus intense ; cela aura pour effet d'isoler la pomme et la couleur du papier s'intégrera à l'intérieur du fruit comme s'il s'agissait d'un ton supplémentaire de l'ensemble. Renforcez le blanc du point de luminosité maximale à l'intérieur de la pomme. La pression que vous exercez sur la craie pour blanchir les zones de reflet intermédiaires doit être minimale. Pour terminer, rehaussez quelques-unes des zones d'ombre très foncées au fusain.*

ORDRE DES TRACÉS

Comme dans le cas de certains procédés de peinture, lorsque le dessinateur souhaite intégrer la couleur du papier à son travail et l'utiliser en tant que couleur supplémentaire, il doit réserver les zones qui devront l'accueillir. Une réserve est simplement une zone que le dessinateur n'a volontairement pas couverte ; elle conserve la couleur du papier ou est destinée à abriter un ton qu'il ne sera pas nécessaire de fondre ou d'ombrer.

◀

I. *Cet exercice est très simple et vous permettra de vous exercer aux techniques de la réserve et du rehaut à la craie blanche. Esquissez la forme du modèle le plus précisément possible au fusain ; vous devrez réaliser les retouches dès ce premier stade.*

▼ 2. *Colorez la totalité de la surface du dessin à la sanguine, excepté l'intérieur des pétales de la fleur, qui doivent rester en réserve. La couleur qui ressort est celle du papier car les pétales se détachent sur le fond et la sanguine couvre entièrement la couleur d'origine dans toute la zone qui entoure la fleur.*

▼ 3. *La fleur ayant été travaillée avec le ton de la sanguine, il convient d'incorporer la couleur du papier aux autres tons du dessin. À l'aide de la craie blanche, tracez les rehauts qui vous permettront de créer les zones lumineuses des pétales. Estompez ceux-ci avec les doigts de façon à ce que le ton de la sanguine s'intègre à la couleur du fond du papier. Diverses tonalités de couleur rosâtre se forment lorsque les blancs se fondent avec la couleur crème du papier.*

L'ÉTUDE DE LA LUMIÈRE

La combinaison des trois procédures de base du dessin permet d'étudier tous les effets de lumière. En de nombreuses occasions, le rehaut constitue une ressource pour leur élaboration. Malgré sa simplicité relative, l'exercice que nous vous proposons ci-après vous permettra de constater qu'il suffit de quelques touches de craie blanche pour que l'ensemble acquière un grand volume.

▶ **1.** *Dessinez la demi-bouteille et la coupe en partie cachée par celle-ci. Ombrez le fond au fusain, sans empiéter sur les deux objets. Ombrez également l'extérieur de la coupe au fusain. Avec la pointe du bâton de sanguine, dessinez une trame composée de traits inclinés et droits sur le fond, et horizontaux sur la coupe avant de fondre le fusain. Les zones ombrées au fusain étant dessinées, passez-y doucement la main pour fondre la sanguine et le fusain.*

Sur les travaux réalisés à la sanguine, les zones de lumière doivent être réservées, puis résolues à la craie blanche, plus ou moins estompée selon l'intensité de la lumière dans la zone concernée ou appliquée sous forme de traits vifs pour représenter les points de luminosité maximale.

▶ **2.** *La fusion de la sanguine et du fusain donne lieu à une couleur terreuse, différente de celle du papier et du gris du fusain. Ombrez la bouteille au fusain et passez le doigt sur le côté droit de celle-ci pour ouvrir un reflet long et continu. Dessinez les traits de la coupe à la sanguine ; la couleur grise du fusain semblera ainsi s'intégrer de nouveau à la couleur du papier.*

◀

3. *Pour terminer la représentation de cette nature morte, appliquez les rehauts à la craie blanche ; ceux de la bouteille et de l'intérieur de la coupe doivent être très localisés, et ceux de la table doivent être réalisés en tenant le bâton de craie à plat.*

pas à pas
Nature morte avec fleurs

Les rehauts que la craie blanche permet de réaliser sur le papier de couleur peuvent s'avérer être parmi les effets les plus surprenants du dessin. Lorsque le dessin s'effectue sur un papier de couleur sombre et avec des tons foncés, la variété des contrastes susceptibles d'être obtenus se limite au ton le plus clair utilisé, c'est-à-dire à celui du papier ou à celui de la sanguine. Mais lorsque le dessinateur incorpore des rehauts à la craie blanche, le point de référence de tous les tons en matière de luminosité devient le blanc ; cela permet d'obtenir une très grande variété tonale sans que la couleur du papier représente une limite.

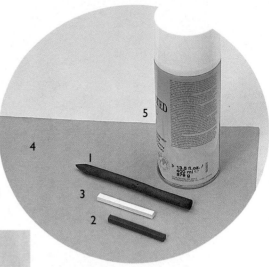

MATÉRIEL NÉCESSAIRE

Fusain (1), sanguine (2), craie blanche (3), papier de couleur grise (4) et fixateur (5).

1. *Les fleurs se dessinent tout d'abord au fusain, à l'intérieur d'une composition dont la forme rappelle celle d'un triangle inversé. Les formes initiales doivent être très synthétiques et esquissées à l'aide de lignes très simples. Celles-ci doivent résumer les différentes parties du bouquet ; vous remarquerez, par exemple, que la fleur située sur la gauche possède une forme totalement elliptique. Chaque fleur est fondée sur une figure géométrique elliptique ou circulaire qui définit sa forme dans le bouquet. Les contours des fleurs étant définis, dessinez les pétales à l'aide de lignes très élémentaires.*

2. Lorsque vous avez fini de schématiser les fleurs, tachez vos doigts de fusain et noircissez la zone située autour du bouquet. Celui-ci se détache du fond en raison du contraste créé ; cette étape constitue la première séparation des plans. Tracez l'intérieur des tournesols au fusain, puis les parties les plus lumineuses de ces zones à la sanguine.

3. Tachez vos doigts de fusain et noircissez de nouveau le fond. N'appuyez pas trop car le fusain risquerait de s'incruster dans le papier. Tracez les lignes les plus définies des pétales des deux tournesols du haut avec la pointe du fusain. Dessinez la feuille située sur la droite au fusain et estompez la partie intérieure de cette zone. Délimitez les pétales du tournesol du bas et colorez fortement la fleur centrale à la sanguine. Tracez également quelques traits de sanguine sur la fleur située sur la droite et estompez-la avec le doigt pour intégrer le ton de celle-ci à la couleur d'origine du papier.

4. Rehaussez le contraste de toute la partie supérieure au fusain. Estompez le nouveau ton foncé sur la feuille située sur la droite. Avec le doigt, ouvrez un clair dans la zone la plus lumineuse. Dessinez les pétales du tournesol situé sur la droite et de la petite fleur centrale. Tracez quelques traits foncés autour de la grande fleur située au centre pour la contraster et mieux définir ses pétales.

5. *Étant donné que le dessin s'effectue sur du papier de couleur et non sur du papier blanc, la craie représente ici une importante source lumineuse. Commencez la mise en œuvre des rehauts sur le tournesol situé au centre ; un petit apport de craie blanche suffit pour provoquer un contraste très lumineux ; contentez-vous de dessiner quelques traits sur l'un des pétales supérieurs. Dessinez de façon définitive quelques-uns des pétales de la petite fleur située sur la gauche.*

Les dessins qui présentent une certaine complexité doivent être préalablement schématisés au fusain car il est plus facile de corriger les erreurs et de redessiner les formes lorsque ce travail a été réalisé au fusain que lorsqu'il a été effectué à la sanguine.

6. *Redessinez la petite fleur située sur la gauche et les contrastes des tiges au fusain. Utilisez la craie blanche pour rehausser les contrastes lumineux sur le tournesol situé au centre et augmenter sensiblement les contrastes entre les tons clairs et les tons foncés. Tracez un trait blanc autour du vase, en tenant le bâton à plat entre vos doigts, puis fondez ce blanc, également avec les doigts, pour que le vase acquière du volume.*

Plus le papier de couleur sera toncé, plus les rehauts à la craie blanche seront lumineux.

7. *Dessinez les derniers contrastes à la craie blanche sur les pétales du tournesol situé sur la gauche ; ces petites touches de luminosité permettent de séparer complètement la fleur du fond. Définissez les zones foncées des tiges ; redessinez le vase à la sanguine, et, dans sa zone la plus foncée, au fusain. Pour terminer, fixez le dessin à l'aide d'une fine couche de fixateur en spray. N'abusez pas des rehauts ; appliquez uniquement de la craie blanche dans les endroits où cet effet s'avère nécessaire pour augmenter l'impact visuel du dessin.*

SCHÉMA - RÉSUMÉ

Cette zone **très foncée ombrée au fusain** doit ensuite être colorée à la sanguine ; le fusain est plus facile à corriger que la sanguine.

Le blanc **du fond au fusain** s'ouvre avec les doigts. Cette technique permet d'ouvrir des clairs très variés, mais il convient de ne pas exercer une pression trop forte sur le papier.

La zone située **à côté du vase** est dessinée à la craie blanche, puis estompée ; ce dégradé permet de créer un effet de distance entre le fond et le vase.

Les rehauts blancs doivent être constitués de lignes fines et tracés avec précaution car la couleur blanche acquiert une grande présence lorsqu'elle entre en contact avec des contrastes plus foncés.

6 Dessin en perspective

NOTIONS DE BASE

Le propos de ce thème n'est pas la mise en œuvre d'une perspective technique, ni, bien entendu, le traitement des bases fondamentales du dessin technique. Vous ne devrez même pas utiliser de règle (mais vous pouvez employer une feuille de papier pour guider votre tracé). Pour systématiser les explications, nous allons avoir recours à une série de lignes très élémentaires qu'il convient de repasser et de répéter sur le papier à dessin.

La perspective permet de représenter des objets en trois dimensions. Pour la résoudre, il convient de connaître quelques normes, qui ne sont pas excessivement complexes, mais qui requièrent une grande attention de la part du dessinateur amateur. Ces notions pourront vous sembler quelque peu arides au début, mais ne perdez pas espoir. Apprenez à maîtriser la perspective, votre effort sera largement récompensé par les résultats que vous obtiendrez.

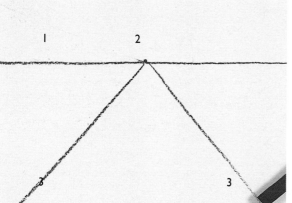

▶ 1. Le trait horizontal situe la ligne d'horizon (1). Dessinez-y un point, qui sera le point de fuite (2). Toutes les lignes parallèles qui vont du premier plan du dessin vers l'horizon (3) devront converger en ce point.

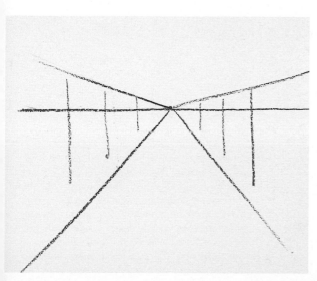

▶ 2. Il convient de distinguer les lignes qui sont tracées au-dessous du point de vue du regard, qui dans ce cas coïncide avec la ligne d'horizon, et celles qui sont tracées au-dessus. Si le point de vue coïncide avec la ligne d'horizon, on considère que l'observation a lieu depuis la hauteur normale d'une personne à l'extérieur. Les lignes verticales placées le long des lignes de fuite devront être de plus en plus petites et de plus en plus rapprochées.

▼
Dessinez ce paysage simple dans le contexte de la pratique de la perspective ; vous constaterez qu'il s'agit d'un exercice assez facile à exécuter.

▶ **1.** *Cet exercice est composé de deux parties nette-ment différenciées. La première est similaire à l'exercice précédent et consiste à élaborer les lignes de construction du paysage. Tracez tout d'abord la ligne d'horizon (1) ; comme vous pouvez le constater, elle est située beaucoup plus bas que celle de l'exercice précédent. Étant donné que le point de fuite se trouvera sur cette ligne, le point de vue présentera une perspective plus accusée. Marquez l'emplacement du point de fuite (2) qui, dans ce cas, est situé dans la partie droite de la feuille.*

VARIATION DU POINT DE FUITE

L e point de fuite est l'endroit vers lequel les lignes de perspective convergent. L'exercice précédent était consacré à la mise en œuvre d'un paysage simple sur lequel la perspective était par-faitement centrée, mais ce type de perspective, totalement symétrique, est peu utilisé. Dans la majorité des cas, le point de fuite est décentré pour que la perspective gagne en intérêt et que l'en-semble possède plus de mouvement.

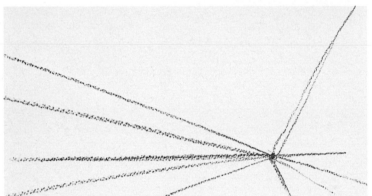

▶ **2.** *Tracez diverses lignes de perspective allant, bien entendu, en direction du point de fuite. Certaines de ces lignes doivent se trouver au-dessous de la ligne d'horizon et d'autres au-dessus. Vous constaterez que l'ouverture de ces lignes varie car le point de fuite décentré vous oblige à ouvrir l'angle de gauche et à fermer celui de droite. Ce schéma modifie totalement la construction de la perspective précédente.*

▶ **3.** *Repérez la ligne de base des divers éléments qui composeront le dessin à l'aide de deux traits situés sous la ligne d'horizon. Toutes les formes tracées sur ces lignes seront corrélatives et ordonnées en fonction de la perspective. La plus haute des lignes se trouvant au-dessus de la ligne d'horizon vous servira de point de référence pour les différentes hauteurs. Les objets situés entre ces deux lignes se verront en perspective. Délimitez la hauteur des maisons à l'aide de lignes parallèles à l'horizon.*

4. *Réaffirmez les lignes du sol sur lesquelles s'appuient les éléments constitutifs du dessin. Observez la façon dont les deux lignes situées du côté droit délimitent parfaitement le trottoir et la base des maisons. Le trait qui coïncide avec la ligne d'horizon permet également de délimiter la base de la rangée de maisons. Assombrissez toute la zone correspondant au ciel au fusain, en tenant le bâton à plat ; noircissez plus particulièrement les contours des parties supérieures des maisons pour les faire ressortir sur le ciel. Un détail important : observez la façon dont les pentes du toit de la maison située à droite ont été dessinées.*

LA PERSPECTIVE EN TANT QUE SCHÉMATISATION

L e schéma de la perspective sert de base au dessin. La schématisation doit être résolue le plus précisément possible pour que les éléments du tableau respectent une perspective réelle. Nous vous proposons maintenant de traiter l'exercice précédent d'un point de vue artistique, ce qui est en définitive l'objectif de ce thème.

5. *Pour situer les arbres, dessinez leurs cimes à l'intérieur d'un espace délimité par deux lignes de perspective ; la base des troncs doit coïncider avec une troisième ligne, légèrement plus basse que la ligne d'horizon. Le bord du trottoir gauche de la rue coïncidera aussi avec une ligne, encore un peu plus basse que la précédente.*

6. *Différenciez les divers plans de chacune des zones du paysage au fusain, en tenant le bâton à plat. Les parties les plus claires sont celles qui se réfèrent aux zones latérales du dessin. Ombrez la chaussée au fusain, en tenant le bâton à plat, et renforcez quelques-unes des lignes de perspective avec la pointe du fusain.*

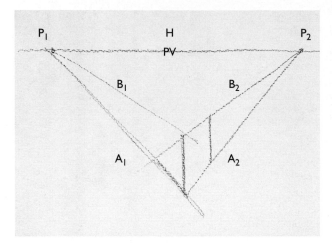

PERSPECTIVE À DEUX POINTS DE FUITE

Nous avons jusqu'à présent étudié la façon la plus simple d'envisager la perspective, c'est-à-dire avec un seul point de fuite. Il existe néanmoins d'autres techniques de perspectives, plus complexes, mais qui, lorsqu'elles sont maîtrisées, permettent d'exécuter des dessins d'un grand réalisme. Ces schémas doivent bien entendu se limiter à représenter une structure dans laquelle s'inscrivent les différents éléments. Cet exercice consiste en une étude de la perspective à deux points de fuite. Prêtez une attention particulière aux explications et aux dessins.

▼ 1. *Tracez la ligne d'horizon (H) qui, dans ce cas, coïncidera également avec le point de vue (PV). Repérez l'emplacement des deux points de fuite (P$_1$ et P$_2$) ; ils ne doivent être ni trop rapprochés ni trop séparés, car cela provoquerait une trop grande distorsion de la perspective. Tracez les deux lignes qui définiront la base du cube (A$_1$ et A$_2$) ; leur point de convergence correspond à la base de la première arête du cube. Tracez ensuite les deux autres lignes (B$_1$ et B$_2$) qui permettront de fermer la base du cube et de définir sa hauteur, ainsi que la limite des plans verticaux. Utilisez les points d'intersection des lignes pour dessiner les arêtes qui limiteront la face latérale droite du cube ; elles doivent être parfaitement verticales.*

> Plus les objets s'éloignent du regard et s'approchent de la ligne d'horizon, plus leur taille diminue. Cet effet n'est pas toujours simple à obtenir, mais la perspective facilite la représentation des objets situés à une certaine distance.

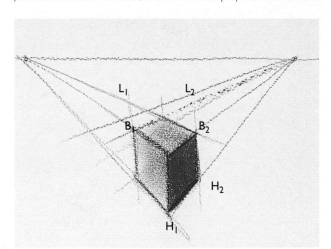

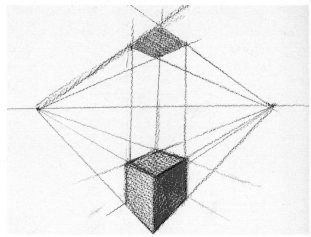

▼ 2. *Les arêtes verticales (H$_1$ et H$_2$) coupent les lignes de perspective en deux points : B$_1$ et B$_2$. Tracez deux nouvelles lignes (L$_1$ et L$_2$) allant de ces points d'intersection aux deux points de fuite ; ces lignes définiront la face supérieure du cube. La technique employée pour dessiner ce cube peut être appliquée à tout autre objet ; souvenez-vous de ce que toutes les formes peuvent être schématisées à partir de figures géométriques simples.*

▼ 3. *Dans l'exercice que vous venez de réaliser, le cube était situé dans le plan du sol, mais il ne s'agissait que d'un exemple. L'objet peut être représenté en utilisant la même méthode, quel que soit le plan de l'espace dans lequel il se trouve ; il suffit de modifier la direction des lignes de perspective. Nous avons choisi ici de tracer les lignes de perspective au-dessus du point de vue de la personne qui regarde le dessin ; la face inférieure du cube sera donc visible. En prolongeant ses arêtes verticales et en les faisant coïncider avec de nouvelles lignes de perspective, vous obtiendrez la projection verticale de son ombre.*

pas à pas
Route bordée d'arbres

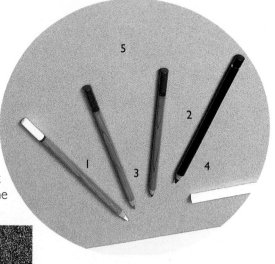

La perspective facilite grandement la construction de toutes sortes de dessins, qu'il s'agisse de natures mortes ou de paysages. Mais c'est dans ce dernier thème que l'application des notions de base de la perspective peut être la plus bénéfique au travail du dessinateur débutant. Il n'est pas nécessaire que vous ayez des connaissances en matière de dessin technique, il vous suffit de savoir que les lignes parallèles tendent à coïncider en un point situé à l'horizon. Le schéma terminé, vous pourrez exécuter le reste du travail comme pour tout autre dessin. Le modèle choisi pour cet exercice est un beau paysage. Prêtez une attention particulière à la perspective de la route.

1. *Tracez la ligne d'horizon ; elle doit se trouver approximativement à la hauteur à laquelle la route devient invisible. Cette ligne coïncide avec le point de vue de la personne qui regarde le dessin, c'est-à-dire que cette personne ne peut pas voir ce qui se trouve au-delà de la ligne d'horizon. Il existe deux perspectives : d'une part le point qui limite la rambarde et la route et, d'autre part, l'endroit où la route semble coïncider avec la ligne des arbres, au-delà de la ligne d'horizon. Cette ligne est coupée par le plan qui s'étend sur la droite du paysage et coïncide avec le point de fuite décentré.*

2. *Lorsque vous avez terminé de schématiser tout le paysage autour de la perspective principale, vous pouvez commencer à dessiner. Tracez le ciel à la craie blanche et estompez-la légèrement avec la main ; le crayon de craie vous permettra d'obtenir un tracé très doux, et la ligne des arbres et le ciel seront ainsi parfaitement séparés. Commencez à dessiner la cime de l'arbre principal avec le crayon de sanguine. La végétation est beaucoup plus dense sur le côté gauche ; le tracé à la sanguine doit complètement fermer les pores du papier. Dessinez le fond avec une craie sépia. Commencez à colorer les parties foncées du fond de la route avec le crayon de fusain.*

3. *Renforcez les tons foncés de la végétation du fond. L'arbre ci-dessus est fortement éclairé et ses feuilles sont beaucoup plus lumineuses que le reste du feuillage présent dans le paysage. L'interprétation de la texture de l'arbre s'effectue à l'aide du crayon de craie blanche ; le tracé doit être mintieux. Comme vous pouvez le constater, la craie blanche permet de créer un grand contraste par rapport au ciel.*

4. *Après avoir dessiné les blancs les plus lumineux de l'arbre, travaillez cette zone à l'aide de la craie sépia et du fusain, et fondez les deux tons en frottant la surface du bout des doigts. Esquissez la végétation qui se trouve sur la droite au fusain ; le tracé doit être dense et très foncé, mais ne doit pas fermer totalement les pores du papier. Dessinez les parties lumineuses de cette zone de végétation à la sanguine ; le tracé doit être similaire à celui employé pour dessiner les blancs de l'arbre central. Avec la craie sépia, commencez à travailler les tons foncés situés sur la gauche du paysage.*

5. *Ombrez les zones les plus foncées de la végétation et dessinez-y des traits à la sanguine. Le type de tracé à la sanguine doit varier en fonction de la zone sur laquelle vous dessinez : fondez-la avec les tons précédents pour les plans les plus éloignés et dessinez des traits forts et courts pour les zones les plus proches telles que la végétation située sur la route. Assombrissez le sol qui se trouve au premier plan au fusain et estompez cette zone avec la main pour intégrer ce ton à la couleur du papier. Tracez la séparation entre les deux voies de la route de façon qu'elle soit bien contrastée ; procédez de même pour les ombres marquées qui se projettent au sol.*

Pour que le dessin conserve son équilibre en ce qui concerne les lignes qui déterminent sa perspective, le schéma initial doit être bien défini, inclure tous les éléments et être scrupuleusement respecté tout au long du travail.

6. *Renforcez les tons foncés les plus denses du paysage. Noircissez toutes les ombres les plus intenses et fondez leurs contours avec la sanguine. N'assombrissez pas les parties les plus éclairées au fusain. Intervenez de nouveau sur l'arbre central avec la craie blanche ; cela vous permettra de rehausser les parties lumineuses ; quelques zones contrasteront également avec le ton foncé appliqué précédemment.*

Une étude sérieuse des zones les plus éclairées et les plus sombres vous permettra, dans tous les cas, de déterminer la marche à suivre pour situer correctement les tons clairs et les tons foncés, et établir les points de lumière maximale.

7. *Dessinez la rambarde au fusain, sans empiéter sur les parties qui doivent avoir une couleur métallique ; celle-ci sera représentée par la couleur du papier. Finissez de dessiner les ombres projetées sur la chaussée ; le tracé doit être dense et très direct. Réalisez quelques contrastes foncés à l'intérieur du feuillage de l'arbre central. Complétez à la sanguine les zones qui vous semblent encore quelque peu dénudées et appliquez quelques touches de blanc sur les bords de la chaussée. Ainsi se termine cet exercice de représentation d'un paysage en perspective.*

La profondeur d'un tableau et la définition des différents plans qui le composent sont toujours issues des lois de la perspective. Celles-ci constituent également la base du choix de la gamme chromatique qui régulera l'ordre des plans.

SCHÉMA - RÉSUMÉ

La grande luminosité de l'arbre est le fruit d'un minutieux travail à la craie blanche sur des zones estompées de couleur grise.

Contrairement aux arbres situés sur la gauche qui, à la fin de la route, ne coïncident pas avec le point de vue de la personne qui regarde le dessin, **la ligne d'horizon** coïncide avec ce point de vue.

L'intensité des **contrastes** dépend du plan qu'ils occupent ; plus celui-ci est éloigné, plus les tons sont fondus.

Le point de fuite est le point vers lequel les lignes de perspective convergent ; dans le cas présent, il se trouve au bout de la route.

La gomme

LE TRAVAIL À LA GOMME

La gomme est un outil aux usages très divers et offrant des possibilités de travail très constructives. L'usage de la gomme est recommandé pour plusieurs raisons : les retouches sont très faciles à réaliser ; il suffit de passer la main sur la zone récemment ouverte, ce qui permet d'acquérir une vision critique de l'évolution du travail. Le dessinateur apprend à considérer les zones sombres comme une partie du travail, ce qui facilite la détermination de l'emplacement des zones de lumière et d'ombre.

> **La gomme est un outil très couramment employé pour le dessin, non seulement pour corriger des erreurs, mais surtout pour un usage très spécifique, propre à cet accessoire : la gomme sert à dessiner en négatif ; passée sur une surface noircie, elle permet de créer des lignes ou des taches blanches ou de la couleur du papier.**

▶ 1. *Couvrez toute la surface du papier au fusain, en tenant le bâton à plat ; bien que cette phase du travail soit facile à exécuter, elle est importante. Le fond doit être entièrement couvert de fusain. Appuyez de façon constante sur le bâton, mais n'exercez pas une pression trop forte car vous risqueriez de rayer la surface du papier ; souvenez-vous que les bâtons de fusain présentent parfois des veines susceptibles de rayer le papier au lieu de le noircir.*

▶ 2. *Dessinez un schéma basé sur des formes géométriques très simples. À l'intérieur de celui-ci, tracez les formes de base de cette nature morte. Le travail initial s'effectue au fusain, en tenant le bâton à plat, dans le sens longitudinal mais, pour dessiner les traits dont le tracé doit être assuré, utilisez la pointe du fusain.*

▼

3. *À l'aide de la gomme, commencez à ouvrir des blancs délimitant les formes des objets. Éclaircissez ensuite la partie droite de chacune de ces formes. Vous pouvez également enrichir ce tracé à la gomme en intervenant avec les doigts pour atténuer le caractère excessivement brillant du blanc du papier.*

▶ 1. *Schématisez le paysage à partir de la ligne d'horizon ; vous obtiendrez ainsi trois plans nettement différenciés. Le premier correspondra au ciel ; couvrez-le entièrement de fusain, sans exercer une pression trop forte sur le papier. Le deuxième plan représentera la zone des montagnes situées au fond ; insistez sur le fusain pour obtenir un ton foncé qui différenciera cette partie de la zone du ciel. Le troisième plan, c'est-à-dire celui qui correspondra au sol, sera le plus lumineux.*

LA PRESSION EXERCÉE SUR LE PAPIER

Comme le fusain, le graphite et la sanguine permettent d'obtenir différentes tonalités selon la pression exercée sur le papier. La gomme offre les mêmes possibilités, mais inverses : plus la pression exercée sera forte, plus la zone gommée sera blanche. Nous vous proposons ici de travailler à l'obtention de différents tons de blancs ouverts à la gomme. Il s'agit d'un exercice simple, sans difficulté majeure, car les formes du paysage et celles des nuages sont faciles à modifier.

▶ 2. *Esquissez les formes des nuages à la gomme, sans exercer une pression trop forte sur celle-ci. Lorsque la pression exercée est faible, les zones ouvertes ne sont pas d'un blanc très pur ; le fusain est entraîné par la gomme et les tons obtenus sont des gris très ténus, idéaux pour esquisser les premiers tons moins lumineux. Insistez de nouveau sur ces gris peu accusés avec la gomme, mais cette fois en exerçant une pression plus forte ; cela vous permettra d'ouvrir des blancs purs. La qualité du papier revêt une grande importance pour l'ouverture des blancs. Le papier ne doit être ni trop granuleux ni satiné ; le fusain s'incruste dans les pores du papier granuleux et ne peut pas adhérer correctement sur le papier satiné.*

▶ 3. *Si vous noircissez légèrement le sol (vous pouvez le faire avec les doigts), vous ouvrirez des blancs dans cette zone ; ils contrasteront beaucoup moins que ceux que vous avez ouverts sur le fond sombre du ciel. L'ouverture des blancs sur le sol doit être réalisée de façon à ce que les zones ouvertes s'intègrent à la texture du terrain. Comme vous pouvez le constater, ces traits blancs suggèrent la perspective du terrain car ils sont tracés en direction d'un point de fuite situé sur la ligne d'horizon.*

1. *Après avoir dessiné la ligne d'horizon, qui doit être située légèrement plus haut que celle de l'exercice précédent, commencez à travailler au crayon à papier. Les lignes tracées au crayon à papier étant beaucoup plus fines que celles obtenues au fusain, le tracé devra être très intense pour couvrir une grande surface de papier.*

Les traits peuvent être variés, mais la direction dans laquelle vous les dessinez est importante ; dans le cas présent, la majorité des traits doivent se diriger, en perspective, vers la ligne d'horizon. N'appuyez pas trop sur le crayon car vous risqueriez de rayer le papier et les traits seraient beaucoup plus difficiles à effacer.

EFFETS SIMPLES À LA GOMME

La gomme permet d'obtenir de nombreux effets, qui ne sont pas particulièrement compliqués. La complexité ne réside jamais dans le tracé, mais dans ce qu'il peut vous permettre de représenter. Nous vous proposons ici un exercice dont le modèle est un paysage simple ; vous y combinerez le tracé au crayon et l'ouverture de clairs en tant que ressources de création de zones d'une grande luminosité.

2. *Augmentez le contraste sur la zone montagneuse pour séparer ce plan de ceux du ciel et du terrain. Comme vous avez pu le constater au cours de cet exercice et du précédent, cette ressource est particulièrement utile dans le cas des paysages. Utilisez le chant de la gomme pour commencer à ouvrir des zones irrégulières sur le centre du terrain ; bien que sinueux, ces blancs doivent suivre les lignes de perspective qui se dirigent vers le point de fuite imaginaire. Vous pouvez accentuer les blancs en augmentant la pression exercée sur la gomme ou en la passant plusieurs fois au même endroit.*

3. *Intensifiez la ligne autour des blancs que vous avez ouverts et définissez-la par rapport aux gris qui l'entourent ; les blancs seront ainsi beaucoup plus définitifs. Au premier plan, contrastez la texture du terrain en y traçant des lignes verticales grâce auxquelles le chemin boueux sera parfaitement défini. Pour terminer, dessinez les poteaux pour renforcer l'effet de profondeur.*

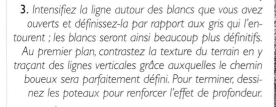

2. Avec un gros bâton de fusain, couvrez la totalité de la surface du papier à dessin, y compris le schéma préalable. Cette couche de fusain ne masquera pas totalement les lignes schématisant les formes des fruits et de l'assiette, qui resteront visibles sous le tracé. Bien que vous utilisiez la pointe du fusain pour dessiner, le bâton laissera une trace relativement plane car, au début de cette phase, vous l'aurez incliné jusqu'à ce que sa pointe s'use et acquière une forme biseautée.

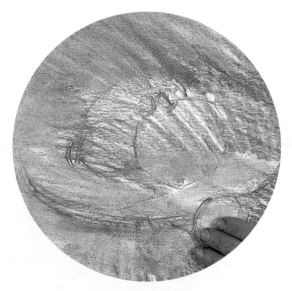

3. Après avoir noirci toute la surface, passez la main sur le papier de façon à ce que tous les traits se fondent entre eux et forment un ensemble plus homogène. N'exercez pas une pression trop forte sur le papier car le fusain risquerait de se tasser et il vous serait alors impossible de l'effacer. À ce stade du dessin, le schéma initial n'est plus aussi présent car il a été noirci, mais il n'a pas totalement disparu. Il suffit que les traits soient à peine visibles pour pouvoir continuer à travailler à la gomme et refaire le dessin à partir des blancs ouverts.

4. Le schéma initial n'a pas totalement disparu ; il reste quelques lignes qui vont vous permettre de dessiner à la gomme. Commencez par la forme la plus complexe de cette nature morte, celle de l'assiette. N'empiétez ni sur la forme des fruits ni sur l'extérieur de l'assiette lorsque vous gommez. La gomme se salira très rapidement ; vous devrez donc la nettoyer constamment en la frottant sur une feuille de papier propre jusqu'à ce qu'elle retrouve sa blancheur d'origine. Si vous utilisez une gomme malléable, pétrissez-la de façon à chasser la partie sale vers l'intérieur.

5. *Cet effacement exhaustif vous permettra d'obtenir un blanc qui s'étendra sur toute la surface de l'assiette. Après avoir soufflé sur le dessin pour éliminer tout reste de gomme, commencez à ouvrir les reflets des fruits. Ces reflets sont très localisés et occupent des zones très précises. Le reflet de la poire occupe toute la partie supérieure de ce fruit et votre coup de gomme doit être long et continu. En ce qui concerne la grenade, le parcours de la gomme doit être plus radial et se diriger vers la tige du fruit. Pour la prune, il vous suffit de donner un coup de gomme rapide pour obtenir un petit reflet très localisé.*

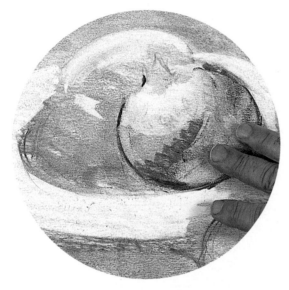

6. *Après avoir ouvert les différents reflets, recommencez à travailler au fusain : assombrissez les zones dans lesquelles les ombres doivent être plus foncées, puis frottez-les avec les doigts pour que ces zones sombres fusionnent avec le fond.*

7. *Assombrissez fortement les zones foncées des fruits avec la pointe du fusain et fondez le ton du bout des doigts ; répétez cette opération autant de fois que cela s'avère nécessaire. Lorsque les ombres sont bien définies, tracez directement au fusain comprimé ; il vous permettra d'obtenir des noirs beaucoup plus intenses qu'un bâton de fusain ordinaire. Tracez la partie foncée de l'ombre de l'assiette sur la nappe à l'aide d'un morceau de fusain comprimé tenu à plat, mais sans exercer une pression trop forte sur le papier.*

8. *Avec les doigts, estompez les contours de l'ombre sur la nappe. Avec la pointe du fusain comprimé, finissez de dessiner toute la partie foncée de la prune située au premier plan. Il ne vous reste plus ensuite qu'à tracer quelques lignes destinées à parfaire la définition de la forme des fruits, puis à nettoyer à la gomme les reflets dont la brillance a éventuellement été atténuée par la poudre de fusain. Fixez ensuite le dessin à l'aide du fixateur, en tenant le spray à environ 30 cm de la feuille.*

SCHÉMA - RÉSUMÉ

La schématisation du dessin s'effectue au fusain ; toute la surface de la feuille, y compris le schéma, est ensuite recouverte d'une couche de fusain.

Les lignes du schéma sont encore visibles sous la couche de fusain ; cela permet d'**effacer à la gomme et avec précision** les futures zones blanches ; la première zone à effacer est celle qui correspond à l'assiette.

L'intensité des **reflets des fruits** dépend de leur luminosité. Dans le cas de la poire, le coup de gomme doit être linéaire et suivre l'arrondi de la surface du fruit.

Les blancs ouverts sur la grenade sont radiaux ; il convient d'utiliser le chant de la gomme pour que les ouvertures soient fines.

8 Ombre et lumière

ZONE ÉCLAIRÉE ET ZONE D'OMBRE

Lorsqu'un rayon de lumière frappe un objet, il se répartit sur celui-ci et provoque ainsi l'apparition de zones éclairées et de zones d'ombre ; l'expérimentation de cet effet est le premier aspect auquel le dessinateur doit accéder. Placez un ou plusieurs objets devant une source de lumière : vous vous apercevrez que toutes les zones de la surface n'acquièrent pas la même tonalité.

Parmi les concepts les plus importants du dessin se trouvent ceux qui font référence à l'éclairage. Le dessin peut être exclusivement exécuté à base de lignes, en omettant totalement l'étude des ombres, mais le sujet représenté sera plus proche de l'original si le dessinateur tient compte de l'éclairage. Plus les informations recueillies à partir du modèle seront nombreuses, plus sa représentation sera réaliste. L'étude de la lumière et de l'ombre permet une approche encore plus précise des éléments à l'origine du réalisme de l'œuvre.

▶ *Étudier la lumière d'un dessin revient à étudier les zones les plus sombres et les plus éclairées du modèle. Comme nous l'avons vu sur le dessin précédent, chacune des zones de lumière ou d'ombre correspond à un effet physique réel.*

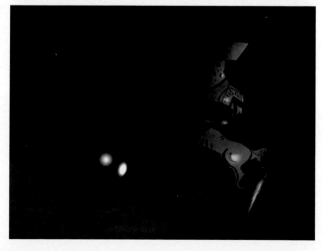

La longueur des ombres dépend de la position de la principale source lumineuse qui éclaire le modèle. Ces deux exemples vous montrent comment la direction de la principale source lumineuse et sa distance par rapport aux éléments de la composition influent sur le dessin. Lorsque le rayon lumineux touche l'objet, il frappe plus directement un point précis de cet objet que le reste de sa surface ; les caractéristiques de ce point, qui sera le plus lumineux de l'objet, varient en fonction de celles du plan sur lequel il se trouve. Au fur et à mesure que la lumière parcourt l'objet et que les caractéristiques de sa surface varient, comme c'est le cas des plans arrondis de l'exemple ci-contre, la lumière se dégrade et s'adapte à la forme de l'objet. L'effet est différent lorsque la surface est plane et qu'elle n'est pas perpendiculaire au rayon de lumière. C'est le cas de la table sur laquelle sont posés les éléments de la nature morte ci-contre ; la lumière se répartit de façon homogène, mais son parcours est interrompu par les deux objets, dont l'ombre se projette dans la même direction que le rayon lumineux.

TRACER LES ZONES SOMBRES

Une partie de celle-ci sera exposée au rayon lumineux et sera considérée comme la zone éclairée, alors que le reste de la surface sera traité comme une zone d'ombre. Nous étudierons, plus avant dans ce livre, la façon dont les ombres se dégradent peu à peu pour se fondre avec le plan éclairé, mais avant il convient que vous vous exerciez à la synthèse des deux plans, c'est-à-dire que vous appreniez à ne pas tenir compte des tons moyens pour ne vous concentrer que sur les tons foncés, en les considérant comme un seul et unique ton.

Avant la mise en œuvre de la représentation graphique de tout objet volumineux, il convient de le considérer comme s'il s'agissait d'un ensemble de taches, plus ou moins intenses selon l'incidence du rayon lumineux sur les différentes zones de cet objet.

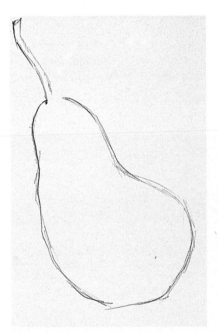

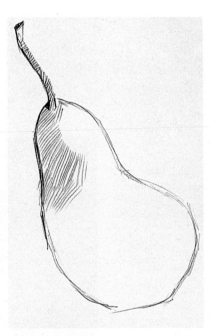

▼ 1. *Le modèle peut être dessiné uniquement à base de traits, sans aucun type d'ombre, mais il est également possible d'exécuter une version plus élaborée en partant de ces simples traits. Pour réaliser cet exercice, il convient que vous disposiez d'un crayon de graphite assez tendre pour vous permettre d'obtenir un tracé foncé (4B). Le schéma doit être terminé avant que vous commenciez à situer les lumières car les ombres ne doivent être appliquées que sur un schéma parfaitement construit.*

▼ 2. *Commencez à répartir les ombres de façon uniforme ; leurs contours vous permettront de délimiter les zones correspondant aux plans de lumière. Nous vous proposons ici d'employer un tracé radial partant du point de lumière principal pour représenter les ombres ; cette technique rendra aussi plus aisée l'étude du plan arrondi du modèle. Comme vous pouvez le constater, le côté qui correspond à la zone d'ombre n'est pas droit, mais arrondi. Le tracé doit être rapide et doit non seulement permettre de noircir la zone d'ombre mais aussi de donner forme à la partie éclairée.*

▼ 3. *Les traits qui représentent l'ombre du fruit doivent s'adapter aux modifications des caractéristiques du plan de chaque zone. Le reflet de la partie inférieure du fruit doit être situé proportionnellement dans la même zone que dans la partie supérieure. Tracez également l'ombre qui entoure cette zone de reflet de façon radiale. Accusez les traits de la partie la plus sombre ; ils doivent se croiser avec les précédents. Comme vous pouvez le constater sur cet exemple, la séparation entre ombre et lumière est évidente et s'adapte parfaitement à la forme du fruit.*

1. *Contrairement à l'exercice précédent, pour lequel vous avez utilisé un crayon, celui-ci nécessite l'emploi d'un bâton de fusain. Le fusain est un médium très facile à utiliser et combine deux avantages : un tracé très rapide et une possibilité de retouche immédiate. L'esquisse initiale permet de définir rapidement la forme des pommes ; schématisez également celle des ombres en tenant le bâton de fusain à plat entre vos doigts, mais sans exercer une pression excessive car ce tracé servira aussi à séparer les zones et à définir le ton moyen.*

OMBRES DENSES ET TON MOYEN

Nous vous proposons ici un second exercice de séparation des ombres au cours duquel vous pourrez définir de nouvelles tonalités, qui feront office de tons moyens entre les lumières et les ombres. Les tonalités moyennes permettent d'adoucir la transition entre les lumières et les ombres. Cet exercice vous permettra de vous exercer à déterminer l'emplacement des tons moyens ; vous devrez pour cela partir de la mise en œuvre de l'exercice précédent. Bien qu'il ne soit pas complexe, ce dessin doit être réalisé avec soin, en suivant les différentes phases indiquées.

2. *Cette phase permet d'étudier la façon dont s'établissent les principales différences tonales. Il vous suffit d'ombrer le fond à l'aide d'un ton très foncé pour faire ressortir les zones les plus lumineuses, qui posséderont la couleur du papier. Par comparaison entre les différents contrastes créés sur le papier, il est alors possible d'évaluer le ton le plus sombre, le ton le plus lumineux, qui a la couleur du papier, et le ton intermédiaire, qui correspond au tracé doux réalisé au fusain.*

3. *Après avoir noirci la totalité du fond, vous pouvez assombrir le reste des zones foncées des pommes, en tenant le bâton de fusain à plat. Le tracé doit être un peu plus foncé que le précédent mais pas autant que celui, très sombre, du fond. Procédez de la même façon pour assombrir les zones foncées qui correspondent aux ombres.*

▶ **1.** *La schématisation permet de définir les formes du modèle de façon à pouvoir situer correctement les zones de lumière et d'ombre. Le modèle que nous avons choisi pour cet exercice représente quelques fleurs très simples. Leur forme générale, ovale, sert de base à la schématisation des pétales. Tracez ces lignes, très élémentaires, au fusain. Lorsque le schéma est terminé, les éléments principaux se différencient clairement du fond grâce à ces lignes.*

CLAIR-OBSCUR ET CONTRASTES

Vous avez jusqu'à présent réalisé des exercices ayant trait à l'étude des contrastes susceptibles d'exister entre les zones de lumière et les zones d'ombre. Vous avez également vu que les principales zones d'ombre délimitent celles qui présentent une plus grande luminosité, et qu'elles permettent d'étudier les tons et de déterminer la densité maximale qu'ils peuvent atteindre. Vous avez déjà utilisé la gomme pour dessiner en négatif et ouvrir des blancs sur le noir dans les thèmes précédents. Nous vous proposons ici de l'employer en tant qu'outil principal pour l'obtention des zones les plus lumineuses.

▼ **2.** *Ombrez la totalité de la surface du fond au fusain comprimé pour isoler les principales formes des fleurs. Introduisez les gris foncés des fleurs en les noircissant avec les doigts ; bien que le résultat obtenu ne soit pas très net, il est nécessaire de procéder de cette façon pour pouvoir ensuite faire intervenir la gomme.*

▼ **3.** *Employez la gomme comme s'il s'agissait d'un crayon ; elle vous permettra d'ouvrir des zones linéaires qui, réunies, formeront des taches blanches très lumineuses et très contrastées. Utilisez cette méthode pour ouvrir des blancs très lumineux sur la partie éclairée du gris des fleurs.*

pas à pas
Livres, pomme et pot

Nous vous proposons ici de mettre en pratique les notions que vous avez apprises tout au long de ce thème, c'est-à-dire la séparation entre les zones de lumière et d'ombre, ainsi que l'emploi correct des contrastes entre ces tonalités. Cet exercice est simple à réaliser ; sa principale difficulté ne réside pas tant dans la répartition des tons que dans l'exécution d'un bon schéma des éléments qui composent cette nature morte. Les livres requièrent une attention particulière, surtout pendant la phase de schématisation initiale. Nous avons choisi de soumettre le modèle à un puissant éclairage pour que les ombres soient plus marquées et pour faciliter la différenciation entre les zones de lumière et d'ombre.

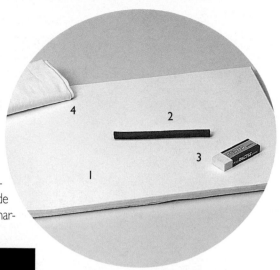

MATÉRIEL NÉCESSAIRE
Papier à dessin (1), fusain (2), gomme (3) et chiffon (4).

1. *La schématisation initiale doit être la phase la plus soignée et la plus élaborée du processus. Toute la structure du dessin dépendra de cette phase : son équilibre, la justesse des proportions et l'absence d'erreurs dans le tracé de certaines lignes requérant une précision extrême, telles que, dans ce cas précis, celles qui définissent les livres et sont à la base de leur réalisation. Avant de passer à la phase suivante, effectuez toutes les retouches nécessaires ; utilisez pour ce faire le chiffon et la gomme. Lorsque le schéma est parfaitement défini, repérez la direction de l'ombre ; toutes les ombres devront suivre cette direction, même si le plan des objets varie.*

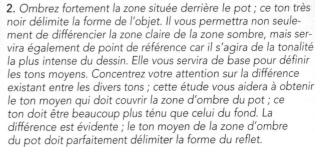

2. *Ombrez fortement la zone située derrière le pot ; ce ton très noir délimite la forme de l'objet. Il vous permettra non seulement de différencier la zone claire de la zone sombre, mais servira également de point de référence car il s'agira de la tonalité la plus intense du dessin. Elle vous servira de base pour définir les tons moyens. Concentrez votre attention sur la différence existant entre les divers tons ; cette étude vous aidera à obtenir le ton moyen qui doit couvrir la zone d'ombre du pot ; ce ton doit être beaucoup plus ténu que celui du fond. La différence est évidente ; le ton moyen de la zone d'ombre du pot doit parfaitement délimiter la forme du reflet.*

3. *Finissez de résoudre le fond en le noircissant totalement de façon à ce que le premier plan ressorte sur le noir. Une fois le fond terminé, dessinez la zone d'ombre de la pomme. Observez la différence existant entre les plans de lumière des deux objets arrondis. Définissez la direction de l'ombre projetée de la pomme, comme vous l'avez fait au cours de la première phase de cet exercice. Tracez les lignes droites, longues et rapprochées, qui vous permettront de définir les chants des livres.*

4. *Observez le noircissement des plans de chacune des zones de la nature morte sur l'illustration ci-contre. Les contrastes proviennent de la mise en contact de zones dont l'éclairage est différent ; les plans se différencient en fonction de leur position par rapport à la source lumineuse. Rehaussez les contrastes des zones les moins éclairées en insistant à plusieurs reprises sur les traits pour les assombrir.*

5. *Lorsque la nature morte est complètement définie (les principaux plans de chacune des zones de lumière sont repérés), renforcez de nouveau les tons foncés, mais cette fois de façon beaucoup plus contrastée. La gomme est un accessoire qui permet de nettoyer les zones sales ou d'ouvrir des clairs mais, dans ce cas précis, les reflets sont obtenus grâce à une autre technique. Vous pouvez par contre utiliser la gomme pour retoucher certaines zones ou pour éliminer les restes de fusain. Chaque zone doit être résolue à l'aide de tracés adaptés aux caractéristiques de sa surface. La tranche des livres s'est assombrie ; chaque plan doit respecter son tracé initial. Suggérez l'ombre sur la table à l'aide de lignes verticales.*

6. *Le détail ci-contre montre l'évolution du noircissement de la zone ombrée des livres ; il est graduel et s'intensifie en direction de la partie inférieure de cette zone, mais sans jamais atteindre la densité du fond. Notez la différence existant entre les plans de chacune des tranches des livres.*

Moins les zones de la nature morte reçoivent de lumière, plus elles sont sombres ; il convient donc d'augmenter les contrastes des zones auxquelles le rayon lumineux accède avec l'intensité la plus faible.

7. *Accusez les contrastes des diverses zones sombres de la nature morte pour clore la définition des ombres. Assombrissez fortement la grande ombre projetée sur la table pour compenser le noir dense du fond. Réaffirmez l'épaisseur des couvertures des livres en y traçant une ligne plus foncée. Nettoyez à la gomme les zones qui ont été salies.*

Pour faciliter votre travail d'apprentissage des ombres et des lumières, nous vous conseillons de composer les natures mortes de façon à ce qu'elles soient éclairées par une source lumineuse unique frappant latéralement les objets. Les différentes intensités tonales seront ainsi parfaitement définies.

SCHÉMA - RÉSUMÉ

Il n'est pas nécessaire d'ouvrir **les blancs** à la gomme car ils sont mis en réserve et délimités par les tons foncés. Ces reflets peuvent être retouchés au fur et à mesure de l'avancement du travail.

Les zones de reflet qui ont été salies peuvent être nettoyées **à la gomme.**

Le ton le plus foncé du dessin, c'est-à-dire celui du fond, sert de référence pour définir l'intensité des autres tons sombres de l'ensemble.

Les plans lumineux s'adaptent à la forme des objets ; les ombres délimitent la forme des reflets et réciproquement.

9 Les ombres et le dégradé

ÉTUDE DES GRIS

Chaque médium graphique permet d'obtenir des gris différents selon sa dureté. Avant de continuer à traiter de la gradation ou de l'étude des tons susceptibles d'être générés dans les ombres, il convient de revenir sur les possibilités de ton offertes par les médiums graphiques.

Dans le thème précédent, nous avons travaillé à l'application des ombres et des lumières de base sur les différents plans du modèle. Nous avons surtout étudié ces ombres à partir des contrastes durs qui ne présentaient pratiquement pas de tonalités moyennes, mais la gradation des tons peut être bien plus étendue ; elle permet alors de doter le modèle d'une grande variété d'intensités de lumière. Chacun des médiums utilisés offre différentes options de tracé qui peuvent être dégradées jusqu'à ce qu'elles se fondent avec le ton du papier ou avec les autres médiums graphiques employés. Une bonne utilisation des ombres vous permettra d'obtenir une meilleure représentation du volume du modèle.

Ce cylindre a été dessiné avec un simple crayon de graphite 6B, suffisamment tendre pour offrir une grande variété de tons, qui à leur tour peuvent être enrichis d'une infinité de nuances obtenues par l'intermédiaire de diverses ressources. La première phase consiste à tracer le cylindre ; la partie la plus foncée de l'ombre doit ensuite être suggérée à traits doux, puis estompée avec le doigt. Pour terminer, il suffit de nettoyer la zone supérieure et d'ouvrir le reflet situé sur la gauche à la gomme.
▲

▼ *Cet exemple vous montre qu'il est possible d'obtenir des nuances très subtiles à partir de tons apparemment identiques. Les crayons et les médiums tendres permettent d'exécuter des tracés foncés, même si leur intensité maximale n'est jamais semblable : il existe de grandes différences tonales dans les tracés les plus foncés comme dans les tracés les plus clairs.*

MODELÉ DES FORMES

Pour situer correctement les éléments du modèle, il faut parvenir à considérer celui-ci comme un tout. Le schéma initial vous y aidera. Comme dans le cas des sujets composés de plusieurs objets, lorsque le modèle comporte un objet unique, il est important de respecter les proportions existant entre chacune des parties de cet objet. Nous vous

proposons ici trois exercices simples. Pour faciliter leur exécution, nous avons schématisé la forme générale de chacune des compositions. Si vous comparez les trois exemples, vous constaterez qu'ils possèdent deux points communs : les formes ne sont pas symétriques et ne sont jamais centrées.

Pourquoi avons-nous choisi des fruits et des éléments de nature morte pour l'étude du modelé et des ombres ? La réponse est simple : parce qu'il s'agit de sujets faciles à dessiner et parce que des objets plus complexes pourraient vous distraire de la finalité de cet exercice, mais aussi parce que ce sont des éléments accessibles et faciles à trouver, et qu'ils vous permettront de vous initier sans difficulté à l'étude de la nature.

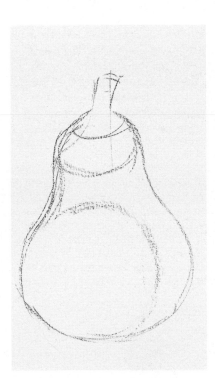

▼1. Pour bien étudier l'effet de la lumière sur les objets, il convient de prévoir, dès le schéma initial, l'emplacement des zones dans lesquelles se trouveront les points de lumière les plus intenses car c'est à partir de ces points que les tons moyens puis les ombres les plus foncées devront être élaborés.

▼2. Comme dans le thème précédent, nous allons établir une différence nette entre les zones de lumière et les zones d'ombre mais, au lieu d'employer un seul ton, nous vous proposons ici d'utiliser deux tonalités bien différentes. Couvrez tout d'abord toute la zone d'ombre de légers traits de sanguine, sans empiéter sur la partie éclairée. Dessinez ensuite la principale zone d'ombre à la craie sépia, en séparant les deux parties lumineuses et en suivant la forme de la surface du fruit.

▼3. Assombrissez toute la partie correspondant à l'ombre à l'aide de légers traits de sanguine, en inclinant légèrement le crayon et en respectant les zones de lumière. Avec cette même sanguine, esquissez les rides de la courge. Reprenez ensuite la craie sépia pour retoucher la zone d'ombre ; vos traits doivent être beaucoup plus contrastés que lors du premier passage.

Le découpage ou la réduction des différents objets en figures géométriques simples (cercle, carré, triangle, rectangle, etc.) dûment combinées constituera toujours une bonne base qui vous permettra de résoudre leur éclairage de façon beaucoup plus facile et beaucoup plus précise.

OBJETS GÉOMÉTRIQUES ET FORMES ORGANIQUES

Les formes organiques produites par la nature sont composées d'éléments qui, étudiés soigneusement, peuvent aisément être comparés à des figures ou à des formes géométriques pures telles que la sphère ou le cylindre, mais avec un avantage supplémentaire : ces formes organiques ne sont pas sujettes aux rigueurs de la perfection et de l'exactitude géométriques. Pour modeler un objet, quel qu'il soit, à partir de l'étude des tons qui le composent, il est important de partir du fait que les formes organiques peuvent être considérées comme un ensemble d'éléments simples reliés entre eux.

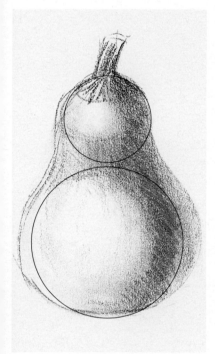

▼ 1. Pour étudier le modelage de cette courge, partez du dessin que vous avez exécuté lors de l'exercice précédent. Comme vous pouvez le constater ci-dessus et étant donné que la lumière provient d'une même direction et frappe la courge avec une même intensité, sa construction peut être réalisée à partir de deux sphères pratiquement identiques. Pour poursuivre cet exercice de gradation des ombres, fondez les tons de sépia et de sanguine avec les doigts en effectuant des mouvements circulaires autour de la zone de reflet.

▼ 2. Commencez le travail de gradation des ombres au crayon de sanguine, en vous basant sur la superposition des traits sur les tons précédents que vous venez de fondre. Pour obtenir un ton d'ombre assez foncé et définir complètement le volume rond de la courge, utilisez un crayon Conté de couleur noire. Le tracé doit être dense, mais ne doit pas boucher complètement les pores du papier. Ouvrez les blancs correspondant aux zones de reflet à la gomme, puis complétez la gradation de la couleur noire en effectuant un estompage délicat sur le côté droit.

▼ 3. Pour finir la gradation des ombres de cette courge, il est nécessaire de compenser les noirs du fond. Cette méthode sera, à partir de maintenant, l'une des principales ressources que nous utiliserons pour la gradation des objets. Le ton sombre et très dense du fond fera ressortir les tons les plus lumineux de l'objet représenté.

DOUCEUR DE LA LUMIÈRE ET DU TRACÉ

Lorsqu'il combine l'emploi de plusieurs médiums graphiques, le dessinateur peut, sans aucun problème, alterner le modelé et les tracés susceptibles d'être obtenus à l'aide de chacun de ces médiums. Nous vous proposons ici d'employer différents médiums graphiques pour dessiner un sujet qui, s'il n'est pas très difficile, n'en rend pas moins nécessaire l'étude attentive de ses ombres et de ses zones de lumière à la craie blanche.

Pour maîtriser le modelé et obtenir un résultat satisfaisant, il convient de commencer à travailler à partir de tracés délicats qui devront être renforcés par de nouveaux traits superposés aux endroits nécessaires pour nuancer et définir progressivement chaque détail.

▼1. Ce travail s'effectue à la craie sépia et au fusain ; votre tracé doit être étendu et les feuilles doivent parfaitement ressortir sur le fond. Rehaussez toute la partie inférieure des feuilles à la sanguine. La présence simultanée d'un ton foncé et d'un ton clair provoque l'apparition de contrastes qui renforcent ces tons. Les feuilles gagnent en luminosité grâce à l'assombrissement du fond. Commencez à travailler à la texture de la feuille située à gauche en traçant un trait de sanguine et de sépia des deux côtés de la nervure centrale. Augmentez la luminosité de certaines zones à la craie blanche : il vous suffira d'appliquer quelques touches de blanc pour obtenir la texture rugueuse et argentée caractéristique des feuilles. Dessinez, également à la craie blanche, le fil auquel sont suspendues les feuilles. Tracez ensuite une trame de couleur sépia dans la zone inférieure gauche, puis fondez ces lignes horizontales avec les doigts et enrichissez les tons.

▼2. Sur la feuille située à droite, dessinez quelques traits foncés avec de la terre de Sienne ; ces traits doivent épouser la forme des nervures. Cette opération permet de parfaire le modelé et les contrastes entre les tons clairs et les tons foncés de cette feuille. Dessinez les parties les plus brillantes et les plus lumineuses à la craie blanche. Contrastez le fond à l'aide de traits verticaux tracés au fusain. Dessinez les veines à grands traits de fusain et de sépia de façon à faire ressortir la texture de toutes les parties du dessin. Augmentez également les contrastes de la texture des feuilles en délimitant les lignes blanches et en accusant les zones foncées. Il ne vous reste plus qu'à assombrir la zone qui correspond à l'ombre des feuilles sur le bois.

pas à pas
Oiseaux

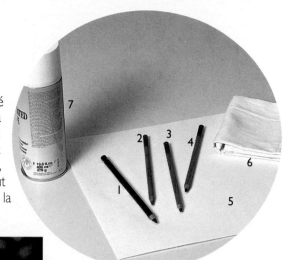

La gradation permet d'étudier le modelé des ombres à l'aide d'un dégradé tonal qui s'intègre progressivement sur le blanc du papier, jusqu'à ce que la représentation acquière un volume très proche du modèle réel. L'image peut sembler complexe, mais il n'en est rien. Au fur et à mesure de l'avancement de votre travail, vous constaterez qu'à condition de partir d'un bon schéma, le résultat s'avère beaucoup plus simple qu'il n'y paraît. L'obtention d'un haut degré de réalisme est ensuite le fruit d'une bonne organisation dans la recherche des tons de chacune des zones de lumière du modèle.

MATÉRIEL NÉCESSAIRE

Crayon noir Conté (1), crayon de sanguine (2), crayon sépia light (3), crayon sépia hard (4), papier à dessin (5), chiffon (6) et fixateur en spray (7).

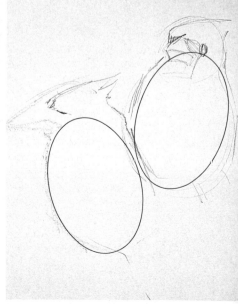

1. *Il est très important de déterminer la forme du modèle avant de commencer à étudier la répartition des ombres, car le modelé de celles-ci doit parfaitement s'adapter au schéma initial. Si vous observez attentivement le modèle, vous constaterez que les deux oiseaux s'inscrivent dans un schéma parfaitement elliptique. Cette forme constituera la base de la gradation et du modelé des tons. Après avoir défini la structure interne des deux oiseaux, dessinez leurs têtes à partir de l'emplacement du bec. Les ellipses ci-contre vous aideront à ébaucher cette première phase, extrêmement importante.*

2. Vous ne pourrez commencer à esquisser la première zone d'ombre sur le modèle qu'après avoir totalement résolu le schéma linéaire. Commencez à ombrer l'oiseau situé sur la gauche avec le même noir que celui que vous avez employé pour la schématisation. Le tracé doit être très doux et suivre parfaitement le plan fusiforme du corps de l'animal. Après application de ce premier ton foncé, le reste du corps de l'animal semble plus lumineux ; c'est dans cette partie de l'oiseau que se trouvera le point de luminosité maximale.

3. Prêtez une attention particulière à la pression que vous exercez sur le papier lorsque vous dessinez. Vous obtiendrez les tons les plus clairs grâce à un tracé très doux, mais cette pression devra être plus élevée lorsque vous voudrez obtenir des tons plus foncés. Pour pallier le manque de fondu, vous pouvez également utiliser des crayons de différentes tonalités, qui vous permettront aussi d'assombrir certaines zones. Comme vous pouvez le constater sur l'oiseau situé à droite, la sanguine permet d'ombrer le corps de l'animal de façon parfaite, sans avoir recours à aucun autre ton.

4. Le tracé à la sanguine doit être très délicat ; vos coups de crayon doivent être courts et rapides si vous voulez obtenir une texture homogène sans que les pores du papier se bouchent. Plus vous avancerez dans l'exécution des tons foncés, plus vous devrez insister sur la zone concernée, mais sans couvrir complètement le blanc du papier. Observez la partie inférieure du corps de l'oiseau situé à droite ; la tonalité de cette zone correspond à la tonalité maximale susceptible d'être obtenue à la sanguine. Pour obtenir une tonalité plus foncée, comme cela est par exemple nécessaire pour la tête de l'oiseau, utilisez la couleur sépia.

5. *Le modelé du corps de l'oiseau situé à gauche doit être des-siné comme nous l'avons envisagé au début, mais cette fois à la sanguine. Couvrez tout d'abord le plan correspondant à la forme ovoïde, en procédant délicatement, puis insistez sur la zone qui doit être plus foncée. Comme dans le cas de l'oiseau situé à droite, le tracé doit être beaucoup plus dense et net dans la zone inférieure pour que les tons utilisés suffisent à définir les zones d'ombre et de lumière. Assombrissez ensuite les tons foncés dessinés à la sanguine en leur superposant des traits au crayon sépia le plus foncé dont vous disposiez pour suggérer les ombres. Après avoir esquissé ces ombres, insistez de nouveau à la sanguine.*

Pour obtenir un bon résultat dans un travail comme celui-ci, il est nécessaire que le schéma initial soit réalisé de façon très consciencieuse et très méticuleuse.

6. *Les têtes des oiseaux ont été presque totalement résolues dès le début et l'essentiel du travail consiste donc maintenant en la réalisation du modelé et de la gradation des corps. La gradation des tons ayant été établie, l'évolution du dessin repose sur l'apport des contrastes qui donneront forme aux ombres, et, bien entendu, sur la compensation des tons qui vous semblent encore trop clairs.*

Faites attention, au moment d'équi-librer la gradation de l'ensemble du volume, car si vous assombrissez exagérément une ombre, les tons lumineux précédemment définis risquent de s'avérer trop clairs par rapport à ce nouveau ton de réfé-rence et vous devrez les recontras-ter pour rééquilibrer l'ensemble.

7. *Les tonalités qui modèlent le corps des deux oiseaux se succèdent de façon progressive, le contraste augmentant toujours depuis les zones d'ombre. Les zones foncées doivent toujours suivre le tracé des lignes dessinées à l'origine. Finissez d'assombrir la zone inférieure de l'oiseau situé à droite en suivant ces lignes. Cette nouvelle intervention à l'aide de tons foncés vous permettra également de résoudre les zones les plus lumineuses.*

SCHÉMA - RÉSUMÉ

Le schéma initial marque la forme que devront prendre les ombres au cours du modelé et de la gradation. En général, toutes les formes sont issues de figures très simples, même si elles peuvent ensuite se compliquer en raison de la superposition d'autres éléments.

Les tons les plus foncés s'esquissent délicatement sur le dessin initial parfaitement exécuté.

Les blancs et les zones lumineuses sont délimités par les tonalités foncées.

Lorsqu'un ton atteint son intensité maximale, il est inutile d'insister, **il convient d'avoir recours à un autre ton plus foncé.**

10 Encre, blancs et noirs purs

LE STYLE ET L'UTILISATION DE LA TIGE DE BAMBOU

Ce thème est consacré à l'un des médiums graphiques les plus classiques, même s'il est aujourd'hui moins couramment employé que les autres médiums secs. La tige de bambou, le pinceau et le bâton d'encre permettent de réaliser des tracés très variés, comparables à ceux obtenus au fusain en ce qui concerne les résultats plastiques. L'aspect le plus important du dessin à la tige de bambou est le contrôle de la charge d'encre intervenant dans le tracé. Pour commencer à vous exercer, ce chapitre vous propose de dessiner un paysage qui vous permettra de découvrir les différentes possibilités de tracé offertes par la pointe de la tige de bambou.

Tout dessin peut, en principe, être exécuté à l'aide de n'importe quel médium, à condition que celui-ci permette de tracer un trait. Bien que les dessinateurs utilisent généralement des médiums secs tels que le graphite, le fusain ou la sanguine, il est également possible de dessiner à l'encre ou à l'aide de tout autre médium remplissant cette condition. La tige de bambou et le pinceau sont des outils graphiques traditionnels qui donnent des résultats impressionnants car ils permettent d'obtenir une grande variété d'effets propres au dessin.

1. Imprégnez tout d'abord la tige de bambou d'encre. Celle-ci peut être liquide ou se présenter sous la forme d'un bâton. S'il est logique que la pointe de la tige laisse une trace grise lorsque la charge d'encre diminue, il en est de même lorsque la charge d'encre est épuisée, et vous devrez en tenir compte avant de commencer à dessiner. Moins il reste d'encre dans la tige, plus l'intensité du tracé diminue. Pour revenir au modèle ci-contre, mouillez la tige d'encre pour tracer la ligne d'horizon ; vous obtiendrez un trait noir et continu. Avant de réimprégner la tige d'encre, dessinez quelques traits. La réserve d'encre qui vous a permis de tracer la ligne d'horizon étant épuisée, ombrez le ciel ; vous obtiendrez un tracé affaibli, peu chargé en encre.

▼ *2. La tige de bambou permet de réaliser des tracés affaiblis et d'obtenir un grand éventail de tons gris dont l'intensité varie suivant la charge en encre. Ombrez toute la surface du ciel et délimitez la forme des nuages. Les gris que vous obtiendrez seront plus lumineux car la pointe du bambou ne renfermera pratiquement plus d'encre. Réimprégnez la pointe de la tige pour dessiner les tons foncés de l'horizon. L'alternance de taches et de traits peu chargés en encre vous permettra de doter le fond d'une grande variété de gris foncés.*

▼ *3. Le tracé produit par la tige de bambou est d'une grande variété et permet de dessiner des traits épais ou fins, selon la pression exercée sur le papier et la charge en encre. Imprégnez généreusement la tige d'encre et dessinez le tronc des arbres situés en bordure du chemin ; vous pouvez ensuite dessiner des traits plus fins en étirant l'encre encore humide avec la pointe de la tige.*

SCHÉMATISATION ET EMPLACEMENT DES LUMIÈRES

Le dessinateur doit toujours procéder de façon progressive lorsqu'il travaille à l'encre car il s'agit d'un médium dont le tracé est assez difficile à retoucher ; il est donc beaucoup plus rationnel et plus sûr de commencer par l'application de tonalités lumineuses qui serviront de base aux tramés et aux tons foncés plus denses. Il convient de dessiner tout d'abord les gris les plus clairs, puis d'y superposer les traits plus sombres. Les tons les plus foncés du tableau doivent être traités à la fin.

▶ 1. *Lorsque le modèle comporte plusieurs éléments de hauteur similaire, comme dans le cas ci-contre, la composition cesse d'être triangulaire et acquiert une forme polygonale plus complexe. Le schéma de la composition est plus laborieux et les points de référence sont plus nombreux. Ils constituent les différents sommets de la composition. Au moment de reporter les mesures sur le papier, il est important de tenir compte des distances qui existent entre les divers points qui délimitent les objets et de celles qui séparent ces points et les bords du tableau.*

La latitude de retouche d'un dessin à l'encre dépend de la qualité du papier utilisé ; le type de papier le plus approprié à ce médium est le papier couché. Sur un papier normal, l'encre pénètre à l'intérieur de la fibre, ce qui empêche tout gommage, alors que sur le papier couché l'encre sèche en surface.

3. *Les feuilles s'intègrent parfaitement dans l'ensemble grâce aux traits qui représentent leurs nervures. Quelques taches noires très foncées, que vous dessinerez autour des feuilles récemment ouvertes, vous permettront de contraster celles-ci et de faire ressortir les blancs.*
▲

▼ 2. *Après avoir schématisé la forme principale, dessinez les tons foncés qui délimitent complètement la fleur ; le tracé de cette zone sombre doit être continu et rapide, et les herbes doivent converger vers la fleur. Si vous souhaitez que les tons foncés soient d'un noir très dense, il vous suffit de dessiner des traits très rapprochés ; plus la trame sera ouverte, plus l'intensité sera faible et plus le ton sera gris. Lorsque l'encre est sèche, grattez la surface du papier avec une lame de rasoir, en prenant soin de la tenir transversalement pour ne pas déchirer le papier. Vous pourrez constater que le grattage de l'encre ne pose aucun problème sur ce type de papier.*

1. *Schématisez les lignes principales de ce modèle à l'aide d'un tracé rapide et souple à la tige de bambou ; ce schéma facilitera la compréhension des formes et des plans du paysage. Le type de tracé utilisé pour chacune des zones du paysage doit suivre la forme de chacun des plans. Les traits qui définissent le sol doivent être arrondis et horizontaux, et ceux qui représentent les montagnes doivent être inclinés et allongés. La façon de tracer les différents éléments qui composent le paysage vous permettra de suggérer leur texture.*

PRESSENTIR LES FORMES À PARTIR DES LUMIÈRES

Lorsqu'un paysage présente une surface relativement étendue, il est plus facile de couvrir celle-ci au pinceau qu'à la tige de bambou. Ce nouvel exercice vous propose de représenter un paysage en alternant l'emploi de la tige de bambou et celui du pinceau. Prêtez une attention particulière au résultat de chacun des tracés et à la façon dont répond l'encre en fonction de son mode d'application : au pinceau ou à la tige de bambou.

2. *Imprégnez le pinceau d'encre et représentez les zones les plus sombres du paysage sous la forme de masses noires. Cette technique est connue sous le nom de style ombré par masses car la définition des tons foncés est basée sur l'emploi de masses d'encre compactes. Ce procédé permet de créer des contrastes simultanés très marqués entre les blancs et les noirs. Le rendement de l'encre étant très élevé, nous vous conseillons de ne pas trop charger le pinceau.*

> Le tracé fourni par une tige de bambou imprégnée d'encre de Chine n'est pas irréversible ; avec un peu de pratique, l'encre peut être utilisée comme tout autre médium graphique.

3. *Pour terminer cet exercice, vous devez alterner l'emploi du pinceau et celui de la tige. Utilisez le pinceau pour couvrir les zones qui doivent être noires et compactes et la tige de bambou pour tracer les lignes fines dont le caractère doit être plus graphique. Ci-contre voici l'aspect que doit présenter le paysage une fois achevé. L'alternance des tracés a permis de créer une agréable combinaison de masses denses et de lignes fines.*

▶ **1.** *L'exercice que nous vous proposons ici est très facile à réaliser si vous suivez attentivement les étapes indiquées. Mouillez le bâton d'encre et frottez-le légèrement sur la pierre pour que le tracé ne soit pas trop noir. Les premières lignes que vous allez dessiner doivent être très fines. Commencez par la schématisation de la tête du cheval : tracez la ligne droite allant du front au nez avec l'arête du bâton d'encre. Dessinez ensuite la ligne de la bouche et la partie postérieure du cou en utilisant le chant étroit du bâton d'encre. Lorsque la phase de schématisation est terminée, dessinez les plans les plus sombres de la tête.*

SYNTHÈSE DE TONS

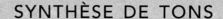

L e dessinateur doit tout d'abord étudier le modèle, découvrir la structure de sa composition, observer la répartition des différents plans et élaborer le schéma avant de commencer le dessin proprement dit. Dans le cadre du processus d'élaboration, il doit en premier lieu considérer la forme générale, puis les éléments et leurs proportions. Nous vous proposons ici un exercice qui consiste simplement à élaborer le schéma de composition d'un modèle.

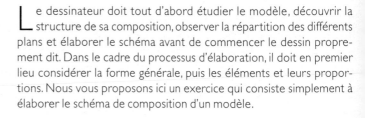

Chaque fois que le tracé fourni par le bâton d'encre perd en intensité, profitez de la texture de ce tracé pour assombrir certaines zones à l'aide de gris moyens.

▶ **2.** *Après avoir dessiné les lignes principales, humidifiez le bâton d'encre et amollissez-le dans de l'eau pour rehausser les contrastes les plus sombres. Pour obtenir des tons noirs très intenses, frottez le bâton d'encre et n'utilisez pas plus d'eau qu'il n'est nécessaire pour humidifier et amollir le bâton. Tracez les gris moyens de la tête du cheval à l'aide d'un bâton presque sec. L'aspect de ce type de ligne est semblable à celui obtenu avec d'autres médiums secs tels que le fusain comprimé.*

▶ **3.** *L'exécution de cet exercice à l'encre doit être progressive. Ne dessinez les tons foncés que lorsque les zones plus claires sont suffisamment définies et structurées. Les lignes que vous avez tracées au début vous ont permis de situer les tons foncés qui représentent les ombres ; il vous faut maintenant éviter de tacher les zones qui doivent rester blanches ou en réserve. Pour noircir la crinière du cheval et la zone inférieure du cou, amollissez bien le bâton d'encre.*

pas à pas
Personnage féminin

Employé directement, sans passer par l'intermédiaire du pinceau ou de la tige de bambou, le bâton d'encre se prête à la réalisation de tracés très variés et le dessin acquiert un aspect graphique très intéressant. L'exercice que nous vous proposons ici comprend la plupart des apports techniques du thème, et plus particulièrement ceux qui se rapportent au dessin à l'encre. Comme vous pourrez le constater, les résultats obtenus diffèrent selon le mode d'application choisi – au bâton d'encre, à la plume de bambou ou au pinceau –, mais dans les trois cas, le procédé est très similaire. Cet exercice vous permettra de vous rompre à la réalisation de traits, de taches et de zones d'un noir très intense. Un personnage vêtu est plus simple à définir qu'un nu car les formes peuvent être plus synthétiques et plus linéaires.

MATÉRIEL NÉCESSAIRE

Encre de Chine en bâton (1), pierre noire pour dissoudre l'encre (2), pinceau (3) et papier (4).

1. Commencez à dessiner directement au bâton d'encre, sans aucun tracé préalable. Humidifiez le bâton d'encre à l'eau et frottez-le sur la pierre jusqu'à ce qu'il glisse légèrement. Le bâton étant chargé en encre, tracez les traits isolés qui vous permettront de schématiser progressivement le modèle, jusqu'à ce que la forme complète du personnage soit définie.

2. *Après avoir schématisé les lignes principales du modèle, redessinez ; votre tracé doit être plus ferme et plus foncé que les précédents. Il vous faut ensuite équilibrer les contrastes à l'aide d'un ton noir très dense ; pour ce faire, mouillez le bâton d'encre et frottez-le sur la pierre pour l'amollir un peu plus ; éliminez l'excès d'eau en laissant égoutter le bâton, mais n'enlevez pas l'excès d'encre. Utilisez la partie plane du bâton d'encre pour définir les principaux contrastes de la figure, qui souligneront définitivement les volumes principaux. Les zones les plus éclairées seront délimitées par ces zones foncées.*

3. *Observez les traits du visage sur le détail ci-dessus. Les formes doivent être dessinées de la manière la plus synthétique possible, sans empiéter sur les zones lumineuses, sans qu'aucun trait ne vienne les salir. Ce travail doit être effectué avec la pointe du bâton d'encre, en évitant qu'elle dégoutte. La dureté de l'encre permet d'obtenir un tracé délicat mais, comme vous pouvez le constater, il est impossible d'affiner les détails.*

4. *Les zones lumineuses de chacune des parties de la silhouette doivent rester intactes ; tenez compte de ce que les traits à l'encre de Chine sont très difficiles à retoucher. Vous devez donc définir chacun des tracés et chacune des taches de la façon la plus approximative possible, puis redéfinir peu à peu chacune des zones. Le tracé doit toujours être progressif et tous les traits accentués.*

5. *Vous allez maintenant devoir utiliser le pinceau. Pour obtenir cette tonalité de gris, il vous suffit d'humidifier le pinceau en le trempant dans l'encre qui se trouve dans le récipient. Si ce ton est trop clair, frottez l'encre jusqu'à ce que vous obteniez un gris plus foncé ; si au contraire le gris est trop foncé, éclaircissez-le en ajoutant de l'eau propre.*

La vitesse d'évaporation de l'eau, qui varie en fonction de la température, peut constituer un problème. En effet, si le coup de pinceau ou le tracé réalisé à l'aide du bâton d'encre sèche trop rapidement ou trop lentement, il est difficile pour l'artiste d'obtenir un résultat conforme à ses vœux. La solution consiste à ajouter de l'alcool ou quelques gouttes de glycérine dans l'eau utilisée pour humidifier le pinceau ou le bâton d'encre.

6. *Le détail ci-contre est un bon exemple de l'emploi de la technique de l'ombrage par masses pour isoler les blancs à l'aide de noirs denses. Cette méthode est l'une des plus importantes ressources techniques utilisées par les artistes qui maîtrisent le travail à l'encre.*

7. *Mouillez le bâton d'encre de Chine et utilisez toute sa surface pour tracer la partie sombre de la colonne située derrière le personnage. Les blancs de la colonne ressortent parfaitement grâce à cette forme très dense. Il ne vous reste plus ensuite qu'à vous concentrer sur le gris moyen des zones d'ombre du personnage. Humidifiez votre pinceau dans de l'eau, sans l'imprégner d'encre, et étalez une partie de l'encre déjà présente sur le dessin. Ainsi se termine ce travail à l'encre.*

Chaque technique possède ses propres ressources et est particulièrement appropriée à certaines applications. Avant de choisir la technique que vous allez utiliser, réfléchissez à celle qui sera la plus adaptée au type de travail que vous allez réaliser.

SCHÉMA - RÉSUMÉ

Les traits du visage doivent être dessinés avec la pointe du bâton d'encre. Il convient de prêter une attention particulière à la synthèse des lignes afin de ne pas salir les zones qui doivent rester propres.

Le tracé des premières lignes doit être simple et pas trop noir ; il permet d'esquisser la forme du personnage. Le travail à l'encre doit être très progressif, car il est beaucoup plus difficile à retoucher que le dessin au crayon.

Les tons foncés du personnage s'appliquent à l'aide de la partie plane du bâton d'encre ; ils délimitent la forme des zones lumineuses. Ce procédé, appelé style ombré par masses, fait ressortir les lumières.

Toute la surface du bâton d'encre peut être utilisée pour dessiner. L'encre sous forme de bâton permet d'obtenir différents **types de gris**, dont l'intensité varie en fonction du taux d'humidité du bâton.

Copie et grille

EMPLOI DE LA GRILLE

Le fusain est un médium graphique très polyvalent. Selon la façon dont il est tenu, comme s'il s'agissait d'un crayon ou à plat entre les doigts, longitudinalement ou transversalement, toute sa surface est utilisable, sa pointe, sa largeur et sa longueur. Les types de tracés obtenus dépendent également de la façon dont le dessinateur tient le fusain, chacun d'entre eux pouvant être appliqué au dessin et permettant à l'artiste de disposer d'une grande variété de choix et de résultats.

Dessiner n'est pas une tâche facile ; même les bons dessinateurs rencontrent souvent des problèmes au moment d'exécuter la représentation fidèle d'un modèle. Il est évident que le but du dessin artistique n'est pas la reproduction exacte du sujet – ce rôle revient à la photographie –, mais la recherche de la perfection dans la représentation ne doit pas pour autant être dédaignée. Il existe de nombreuses méthodes qui permettent de représenter fidèlement un sujet sur le papier ; elles vont de l'agrandissement et de l'emploi du calque par l'intermédiaire d'une photocopie à la projection de l'image sous forme de diapositive. Mais si votre objectif est d'apprendre à comprendre le modèle, ce qui constitue une étape indispensable dans l'apprentissage du dessin, nous vous conseillons d'éviter ces méthodes.

Pour utiliser une grille comme guide, le modèle doit être une image de type photographique. Il peut s'agir soit directement d'une photographie, soit d'un dessin, soit d'une image découpée dans une revue. Le cadrage doit être choisi en fonction du support sur lequel l'image sera représentée : en clair, le dessin doit être proportionnel au modèle. Le sujet que nous avons choisi pour ce premier exercice est coupé par deux axes perpendiculaires ; reportez-les sur le papier sur lequel vous allez dessiner. Respectez le point de vue du modèle ; le point d'intersection des deux axes qui figurent sur celui-ci vous aidera à situer les points de référence correspondants sur votre dessin.

▶ 1. *La technique qui consiste à diviser le modèle grâce à deux axes perpendiculaires est très utile pour la composition et la détermination des proportions entre les objets ; elle offre également une certaine liberté graphique au dessinateur, puisque les quatre zones délimitées par les axes lui laissent une grande marge d'exécution. Le dessin doit être le plus ressemblant possible avec le modèle. Sur l'exemple ci-contre, la poire de droite coïncide avec l'axe vertical ; il doit en être de même sur votre dessin.*

LES GRIS

Parmi toutes les techniques de copie basées sur l'emploi d'une grille, la méthode qui consiste à copier un modèle à partir de deux axes perpendiculaires est certainement la moins exacte ; elle est néanmoins la plus utilisée par les dessinateurs car elle offre une interprétation plus libre et plus artistique du modèle original. Cette grille constitue simplement une référence qui permet de dessiner le schéma initial de façon plus sûre. Lorsque la schématisation est définie, le dessinateur doit oublier la grille et terminer le dessin en s'appuyant sur la méthode traditionnelle.

▶ 2. *Après avoir terminé le schéma initial, il vous faut commencer à définir les gris et les tons moyens. Vous pouvez alors ignorer les axes de copie et passer à la phase artistique. Dessinez les premiers gris en tenant le bâton à plat ; cette phase servira uniquement à établir la différence de tons entre les lumières et les ombres. Après avoir esquissé les tons foncés des ombres projetées, accentuez les contrastes.*

▶ 3. *Après avoir défini les ombres, vous pouvez effacer complètement la grille ; il vous suffit de disposer d'une simple gomme. Ne vous inquiétez pas si, par erreur, vous éliminez une partie du dessin en cours de gommage, car vous pourrez à tout moment redessiner les éléments effacés. Les gris de la composition doivent être tracés progressivement. Comme vous avez pu le voir lors de la phase précédente, les premiers gris doivent être définis à la sanguine. Accentuez ensuite les tons foncés au fusain. Pour terminer, ouvrez les blancs à la gomme.*

1. *Pour réaliser une copie assez précise, il est important que vous utilisiez une règle.*

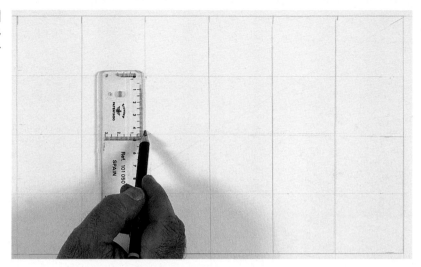

AGRANDISSEMENT ET COPIE

L a grille permet de réaliser une copie très exacte. Plus le nombre de cases de la grille est élevé, plus le guide reporté sur le papier sera exact et plus la probabilité d'erreurs graphiques diminuera. Outre le fait de constituer une méthode de copie parfaite, la grille offre au dessinateur la possibilité d'agrandir le dessin proportionnellement au modèle. Il peut ainsi réaliser des dessins de grande taille à partir d'images de dimensions réduites.

2. *L'agrandissement de la grille dépend du format du papier sur lequel vous allez dessiner. La méthode la plus simple est la suivante :*
• *Mesurez la largeur et la hauteur du modèle et divisez ces dimensions de façon à obtenir un résultat entier ; prenons par exemple un modèle d'une hauteur de 8 cm. Si vous le divisez en quatre, vous obtiendrez quatre cases de 2 cm. Dans ce cas, divisez également la largeur de l'image en cases de 2 cm.*
• *Pour agrandir le modèle, divisez le papier sur lequel vous allez dessiner comme vous l'avez fait pour l'original, c'est-à-dire en y traçant une grille similaire, mais en augmentant la taille des cases. Elles peuvent par exemple avoir une hauteur et une largeur de 5 cm.*
• *La grille obtenue doit posséder le même nombre de cases que celle de l'original.*

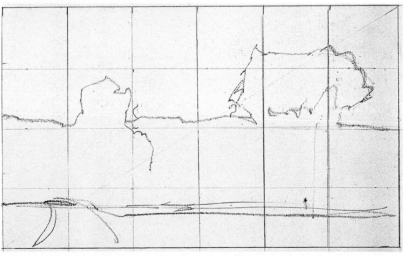

3. *Les contours des éléments de paysage que vous tracerez sur la grille doivent correspondre à ceux du modèle. Chaque case de la grille que vous aurez tracée sur le papier sur lequel vous allez dessiner devra donc contenir le même élément que celui qui figure dans la même case de la grille du modèle.*

▶ 1. *Le point de départ de cet exercice est le dessin que vous avez agrandi et structuré grâce à la grille. Tracez tout d'abord les gris les plus ténus en tenant le bâton de fusain à plat, puis estompez-les du bout des doigts de façon à obtenir un fond dégradé. Soulignez ensuite les traits, mais en utilisant cette fois l'extrémité du bâton de fusain ; prenez soin de ne pas exercer une pression trop forte sur le papier lorsque vous dessinez l'arbre situé sur la droite et le fond. Accentuez les contrastes de la zone qui se trouve à gauche et ceux de la ligne qui marque le début de la forêt, dans la partie inférieure.*

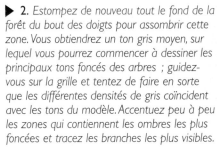

COPIE DE PHOTOGRAPHIES

Ce procédé permet de dessiner n'importe quelle image, et d'agrandir une esquisse ou n'importe quelle photographie au format voulu. Le degré de finition du processus d'élaboration dépend uniquement de la volonté de l'artiste. Nous vous proposons ici de terminer l'exercice que vous avez commencé à la page précédente ; vous verrez que l'utilisation d'un modèle de type photographique facilite considérablement la réalisation des gris.

▶ 2. *Estompez de nouveau tout le fond de la forêt du bout des doigts pour assombrir cette zone. Vous obtiendrez un ton gris moyen, sur lequel vous pourrez commencer à dessiner les principaux tons foncés des arbres ; guidez-vous sur la grille et tentez de faire en sorte que les différentes densités de gris coïncident avec les tons du modèle. Accentuez peu à peu les zones qui contiennent les ombres les plus foncées et tracez les branches les plus visibles.*

▶ 3. *Rehaussez les contrastes des différents tons. Estompez du bout des doigts les contours des taches les plus présentes. Pour terminer cet exercice, il ne vous reste plus qu'à nettoyer à la gomme toutes les zones susceptibles d'avoir été tachées par erreur.*

pas à pas
Paysage urbain

L'utilisation d'une grille s'avère particulièrement utile pour la représentation de modèles complexes, c'est-à-dire de modèles composés de lignes dont la compréhension est difficile. C'est le cas du paysage urbain ci-dessous en raison de l'inclinaison de ses plans. La solution à ces problèmes est très simple : il suffit d'inscrire les lignes à l'intérieur d'une grille. L'exercice que nous vous proposons ici n'est pas difficile ; il est bien plus simple que grand nombre de ceux que vous avez déjà réalisés, mais il requiert une grande attention en ce qui concerne l'exécution des tracés et leur inclinaison.

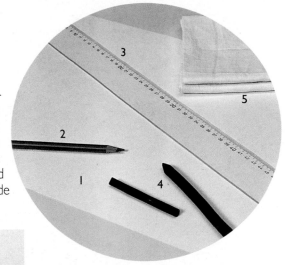

MATÉRIEL NÉCESSAIRE

Papier à dessin (1), crayon à papier (2), règle (3), fusains (4) et chiffon (5).

1. *Pour établir le schéma de la grille, faites tout d'abord une photocopie du modèle, sur laquelle il vous sera facile de dessiner. Les lignes initiales sont les plus complexes, car il vous faut déterminer les endroits où elles commencent et où elles finissent, et les reporter sur le papier. Si vous n'avez pas un bon coup de crayon, vous pouvez utiliser une feuille pliée en deux, le dos d'un carnet ou une règle en guise de guide.*

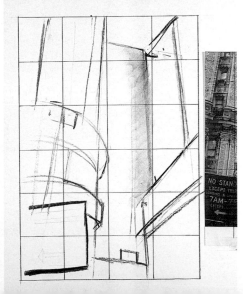

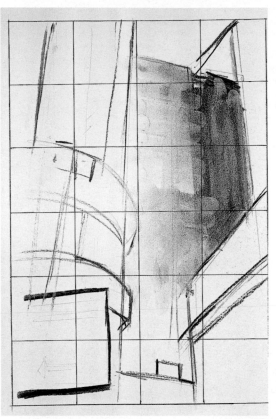

2. *Après avoir étudié les principales lignes et les principaux plans du modèle sur le papier, définissez les gris. Commencez par les bâtiments du fond ; noircissez toute la partie correspondant au reflet, en tenant le bâton de fusain à plat, puis du bout des doigts, estompez toute cette zone et couvrez le côté gauche du bâtiment d'un ton gris. Observez le dessin ci-contre : vous remarquerez que le panneau situé au premier plan a été mal tracé puisque ses lignes ne possèdent pas la même inclinaison que sur le modèle. Cette erreur est volontaire ; elle nous permettra de vous expliquer comment effectuer les retouches appropriées.*

> La grille permet de reporter le modèle sur le papier en respectant scrupuleusement la composition des lignes et des plans, mais aussi de l'agrandir sans modifier les proportions de l'original.

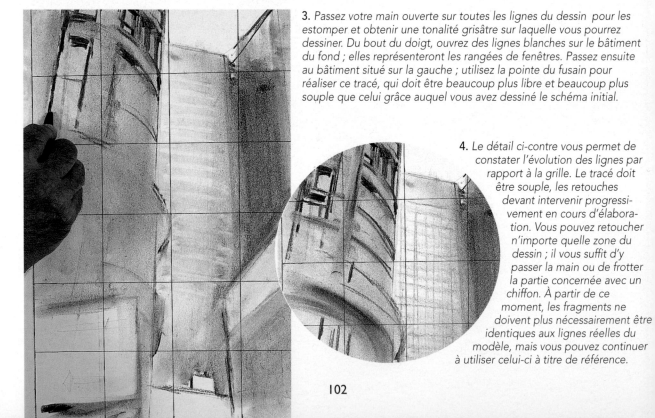

3. *Passez votre main ouverte sur toutes les lignes du dessin pour les estomper et obtenir une tonalité grisâtre sur laquelle vous pourrez dessiner. Du bout du doigt, ouvrez des lignes blanches sur le bâtiment du fond ; elles représenteront les rangées de fenêtres. Passez ensuite au bâtiment situé sur la gauche ; utilisez la pointe du fusain pour réaliser ce tracé, qui doit être beaucoup plus libre et beaucoup plus souple que celui grâce auquel vous avez dessiné le schéma initial.*

4. *Le détail ci-contre vous permet de constater l'évolution des lignes par rapport à la grille. Le tracé doit être souple, les retouches devant intervenir progressivement en cours d'élaboration. Vous pouvez retoucher n'importe quelle zone du dessin ; il vous suffit d'y passer la main ou de frotter la partie concernée avec un chiffon. À partir de ce moment, les fragments ne doivent plus nécessairement être identiques aux lignes réelles du modèle, mais vous pouvez continuer à utiliser celui-ci à titre de référence.*

5. La représentation de la partie supérieure du bâtiment situé à gauche étant bien avancée, dessinez maintenant sa partie inférieure, d'un tracé souple qui vous permettra d'esquisser les fenêtres et les corniches. Pour assombrir les zones les plus foncées et les ombres, exercez une pression plus forte sur le papier et estompez-les ensuite du bout des doigts. Prêtez une attention particulière à la corniche principale située sur la gauche. Retouchez le panneau de façon à ce que l'inclinaison de ses lignes corresponde à celle du modèle. Esquissez les lettres en vous servant des tons foncés qui les entourent, mais faites en sorte qu'elles ne soient pas lisibles.

6. Utilisez maintenant la pointe du fusain pour dessiner la corniche située sur la gauche de façon beaucoup plus détaillée. Basez-vous ensuite sur les schémas de référence pour dessiner les autres éléments architecturaux. Contrastez les zones foncées et commencez à ébaucher les rangées de fenêtres de la zone inférieure du bâtiment situé sur la droite. En ce qui concerne les bâtiments qui se trouvent au fond, ils ne doivent pratiquement pas être retouchés et peuvent être représentés tels quels, sous forme d'esquisses ; cela permettra de préserver la sensation de profondeur et la séparation des plans entre ces bâtiments et ceux qui se trouvent au premier plan.

La technique de la grille est une méthode parfaitement adaptée à tout dessin, quel que soit son thème mais, pour garantir le résultat et éviter des retouches inutiles, le tracé réalisé lors des phases initiales doit être doux et facile à effacer. Ce n'est que lorsque l'emplacement de ces traits et leurs caractéristiques se seront révélés corrects, au fur et à mesure de l'avancement du travail, qu'ils devront progressivement acquérir leur intensité définitive.

7. *Il ne vous reste plus qu'à accentuer les contrastes des fenêtres et de la corniche du bâtiment situé sur la droite pour terminer cet exercice consacré à l'emploi de la grille. Il est inutile de vous attarder sur les détails ou de chercher à reproduire exactement chaque ligne pour que votre dessin ressemble parfaitement au modèle. Une tache destinée à insinuer une ombre ou une ouverture de blanc qui vous permettra de représenter un reflet resplendissant sont plus que suffisantes.*

Même s'il s'agit d'un choix parfaitement défendable, un dessin ne doit pas obligatoirement être une réplique exacte de l'image que pourrait fournir un appareil photographique. S'agissant d'une expression artistique, un dessin doit exprimer ce que le dessinateur capte et ressent à la vue du modèle.

SCHÉMA - RÉSUMÉ

Les premières lignes doivent être les lignes les plus structurées du dessin ; le dessinateur doit donc s'attacher aux traits fondamentaux.

Les premiers gris appliqués doivent correspondre aux demi-teintes ; ils doivent ensuite être estompés à la main pour obtenir la base des tons plus foncés. Une simple esquisse suffit pour représenter les bâtiments situés dans le fond.

Les contrastes et les lignes du bâtiment qui se trouve au premier plan doivent être accentués à main levée.

Le panneau situé au premier plan doit être retouché après application du ton foncé sur toute sa surface.

Le corps humain

PROPORTIONS FONDAMENTALES

Les proportions sont tout simplement les rapports de grandeur entre les parties d'un objet, ou dans le cas présent entre les parties du corps, et un tout défini selon des critères d'harmonie. On dit d'un dessin qu'il est disproportionné lorsque la tête est trop grande par rapport au reste du corps ou lorsque les bras sont trop longs ou trop courts, bref, lorsque le modèle représenté ne répond pas aux règles considérées comme normales.

Il convient tout d'abord de déterminer le point central du corps. Prenons l'exemple d'un personnage en pied, comme ci-dessous ; lorsque le corps est divisé en deux, la moitié supérieure va de la ligne du pubis au sommet du crâne, et la moitié inférieure, c'est-à-dire les jambes, commence sous la ligne du pubis et va jusqu'aux pieds.

Le corps humain est l'un des thèmes les plus passionnants à maîtriser pour le dessinateur et par extension pour tout artiste. Plus que tout autre thème, il constitue un défi car les proportions, la coordination entre les formes et la ligne révèlent une réalité familière à l'artiste et à ceux qui verront le tableau ; toute erreur, qui pourrait passer inaperçue s'il s'agissait d'un autre thème, sautera ici aux yeux. La représentation du corps humain n'est pas une tâche simple, c'est un travail qui demande une grande capacité d'observation et surtout beaucoup de pratique. Il ne faut donc pas perdre patience. Nous vous expliquons ici quelques-unes des règles fondamentales qui vous permettront de dessiner le corps humain en respectant ses proportions.

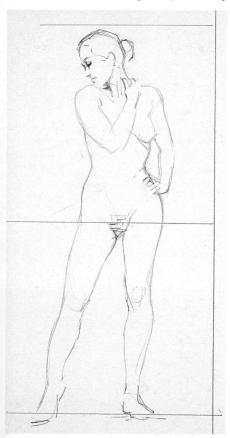

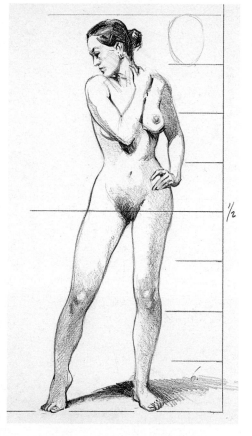

Dans le domaine du dessin, et par extension dans tout autre domaine artistique, la représentation du corps humain est régie par ce que l'on appelle un canon. Un canon est un ensemble de règles fixes qui déterminent les proportions entre les différentes parties du corps. Le canon a connu des modifications au cours de l'histoire, car les préférences esthétiques concernant la représentation du corps humain ont varié selon les époques. En règle générale, le canon actuellement utilisé est basé sur huit modules, chacun d'entre eux correspondant à la hauteur de la tête, c'est-à-dire que vous devez reporter huit fois la hauteur comprise entre le menton et le haut du crâne pour obtenir celle du corps. Les proportions des enfants, par exemple, diffèrent selon leur âge : le canon appliqué pour un nouveau-né est de trois fois et demie le module correspondant à la tête, le nombre de modules allant en augmentant au fur et à mesure que l'enfant grandit.

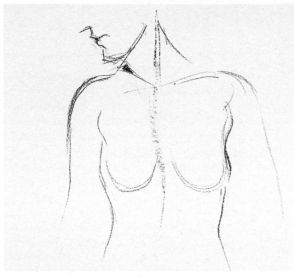

▶ **1.** *Le corps humain possède un axe, la colonne vertébrale, qui est également la ligne de symétrie à partir de laquelle vous devez définir les dimensions fondamentales. La distance entre les épaules et la colonne vertébrale doit être identique des deux côtés, même si le corps est incliné. Tracez tout d'abord la ligne représentant la colonne vertébrale ; celle-ci étant flexible, elle ne doit pas obligatoirement être droite. Dans la partie supérieure, avant la naissance du cou, esquissez les clavicules, inclinées et symétriques. Observez la façon dont vous devez tracer le tronc et le dessin schématique de la région pectorale, qui coïncide avec le début des bras.*

STRUCTURES PRINCIPALES : DESSIN DU TORSE

B ien que la symétrie totale n'existe pas dans le corps humain, puisque le côté gauche de tout être humain est différent de son côté droit, dans le domaine du dessin, il convient de considérer le corps humain comme un ensemble dont la symétrie est parfaite. Cela facilite la représentation des parties apparemment complexes du corps humain telles que le torse. Revenez aux thèmes précédents consacrés au dessin : vous constaterez que les éléments de la nature peuvent être représentés à partir de la synthèse de leurs lignes. Il est important d'établir un axe principal sur la base duquel vous pourrez élaborer les formes correspondantes.

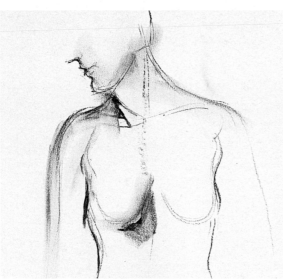

▶ **2.** *Après avoir dessiné le schéma et dûment corrigé les proportions, vous pouvez commencer à vous lancer dans une étude plus poussée de l'anatomie ; le volume vous aidera à comprendre les formes par l'intermédiaire du dessin. Dans le cas présent, l'inclinaison de la tête s'accompagne d'une inclinaison du cou. Celle-ci provoque une tension du deltoïde du côté droit. L'ombre de la poitrine permet également de suggérer le volume du corps.*

▶ **3.** *Le cou donne une grande expressivité au torse et sa musculature permet d'exprimer la flexibilité de la tête ; il doit donc toujours être représenté de façon à rompre la symétrie marquée par la colonne vertébrale. Après avoir tracé les principaux volumes de la poitrine, dessinez l'abdomen, qui doit présenter le modelé typique des muscles abdominaux.*

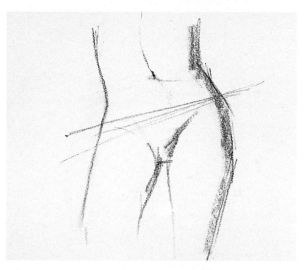

1. *L'ensemble formé par les hanches doit être considéré comme une ligne droite ; en réalité, cette ligne correspond à la partie supérieure du pelvis et à l'union fictive des deux hanches. Les hanches basculent à partir de la colonne vertébrale et les extrémités de la ligne qui représente leur inclinaison coïncident avec les points de flexion des jambes dans cette zone. Lorsque la ligne des hanches s'incline, la colonne vertébrale ne reste pas parfaitement droite, elle se courbe légèrement à la base. Comme vous pouvez le constater ci-contre, en raison de la position des jambes, le poids du corps se répartit inégalement à partir de la ligne d'inclinaison des hanches. La jambe qui correspond à la hanche la plus basse est fléchie car le poids du corps est supporté par l'autre hanche ; le poids du corps reposant sur la hanche la plus haute, la jambe qui supporte le poids doit rester droite.*

STRUCTURES PRINCIPALES : DESSIN DES HANCHES

L'ensemble formé par les hanches est également l'un des principaux éléments graphiques du corps humain. C'est dans cette zone que l'articulation du fémur s'unit à la hanche et l'axe fondamental, c'est-à-dire la colonne vertébrale, y entre également en jeu. Il est très rare que la ligne des hanches soit parfaitement horizontale. Elle est presque toujours légèrement inclinée, particulièrement lorsque le sujet se trouve en position de repos ; une partie du poids du corps repose donc sur une des jambes, alors que l'autre est fléchie et détendue. Cette pose est appelée *contrapposto*.

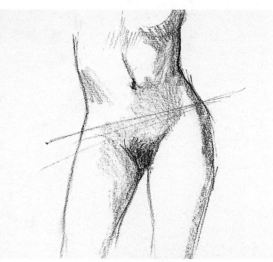

2. *Le schéma permet une étude plus approfondie de l'anatomie à partir du volume du corps. Chaque fois que vous dessinerez le corps humain, vous devrez analyser chaque partie à représenter pour que son modelé soit naturel. Ne dessinez pas les cuisses comme s'il s'agissait de tubes ; leur musculature est plus épaisse dans la zone supérieure. Le galbe des jambes débute dans les zones les plus foncées et la lumière doit ressortir par le biais du dégradé des ombres. L'abdomen ne doit pas être totalement plat ; l'emploi de tons plus foncés vous permettra de le séparer de la cage thoracique et du point de flexion de la hanche.*

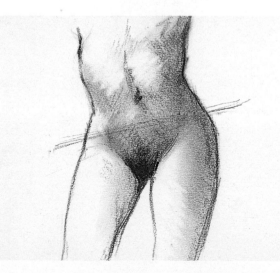

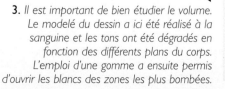

3. *Il est important de bien étudier le volume. Le modelé du dessin a ici été réalisé à la sanguine et les tons ont été dégradés en fonction des différents plans du corps. L'emploi d'une gomme a ensuite permis d'ouvrir les blancs des zones les plus bombées.*

▶ **1.** *Nous vous proposons ici un exercice qui ne présente aucune difficulté et qui vous permettra d'appliquer le processus le plus simple qui soit pour dessiner une articulation, dans le cas présent celle de l'épaule. Observez attentivement le schéma initial, sur lequel il vous sera facile de deviner les formes très simples qui sont à l'origine du jeu d'éléments composant l'articulation. En cas de doute quant à la structure interne d'une articulation, quelle qu'elle soit, nous vous recommandons d'étudier celle-ci en vous basant sur des formes très élémentaires. Les cercles vous permettront de schématiser les arrondis qui se forment entre le cou et l'épaule. Le plus petit d'entre eux vous aidera à structurer la musculature de l'articulation. Ce schéma très simple vous épargnera de nombreux efforts.*

DESSIN DE L'ÉPAULE. LA COLONNE VERTÉBRALE

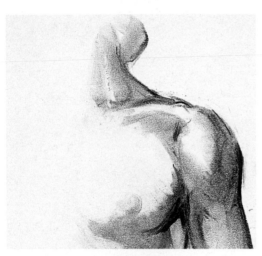

Les articulations peuvent s'avérer compliquées à dessiner car chacune d'entre elles est un point d'union où se joignent les éléments essentiels d'un membre ; en réalité, leur représentation ne présente pas de difficulté majeure, le problème provient plutôt d'un manque de compréhension. Il est donc important de comprendre la forme interne de l'articulation pour être en mesure de la schématiser puis de la dessiner. La colonne vertébrale, qui est l'axe du corps, est également un élément très mobile ; à partir du moment où vous aurez appris à considérer la ligne qui représente la colonne vertébrale comme le centre de la silhouette, vous aurez fait un grand pas dans le domaine du dessin.

▶ **2.** *Basez-vous sur le schéma précédent pour entamer une nouvelle étude du modelé, qui vous permettra d'analyser la musculature. L'épaule possède une forme sphérique, légèrement ovale. La région pectorale est plus plate et la lumière la frappe donc plus directement, mais elle s'adoucit à hauteur des côtes. La musculature du bras est allongée, tout comme son ombre.*

> La provenance de la lumière est fondamentale pour la définition des ombres car celles-ci sont à l'origine de la forme de chacune des parties du corps. La direction de la lumière doit être étudiée avec soin car toutes les ombres doivent être situées du côté opposé à la principale source lumineuse.

▶ *La colonne vertébrale est l'élément qui donne sa flexibilité au corps. Cet exercice peut être appliqué à toutes sortes de modèles, qu'il s'agisse de photographies ou de dessins extraits de cet ouvrage ou de tout autre livre. Il vous suffit de rechercher des images sur lesquelles figurent des personnages, assis, debout, nus ou vêtus, de superposer un papier calque au modèle que vous avez choisi et de tenter de reproduire parfaitement la ligne de la colonne vertébrale et celle des hanches sur ce calque. Essayez ensuite de dessiner la totalité de la figure, directement sur le calque si vous le voulez. Nous vous conseillons de répéter cet exercice à plusieurs reprises et à partir de différents modèles car cela vous permettra de mieux comprendre l'importance de la structure osseuse.*

pas à pas
Un nu

Le nu est le thème le plus beau et le plus complexe pouvant être mis en œuvre. L'exécution d'un nu est un véritable défi pour l'artiste, qui n'en retire que plus de satisfaction lorsqu'il y parvient. Nous avons déjà abordé quelques notions anatomiques dans ce thème et tenterons de les approfondir au cours de cet exercice. Nous vous proposons ici de dessiner un personnage agenouillé. Vous remarquerez qu'à ce modèle, nous avons superposé un schéma qui comprend quatre modules, chacun d'entre eux correspondant à la hauteur de la tête. Ce schéma figure également sur le dessin qui illustre la première phase ; il vous servira de référence pour l'étude des proportions.

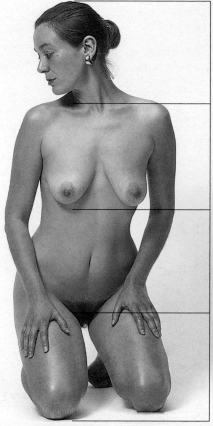

MATÉRIEL NÉCESSAIRE

Fusain (1), fusain comprimé (2), estompes (3), papier (4), fixateur en spray (5), pinces (6), planche (7), gomme (8) et chiffon (9).

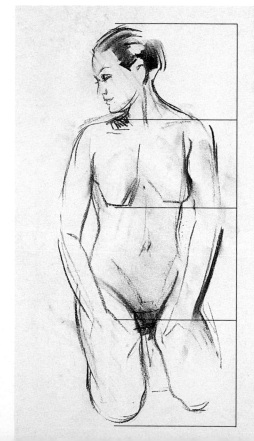

1. *Vous aurez certainement à l'esprit que, dans le thème consacré au corps humain, nous vous avons indiqué que le canon actuellement employé comporte huit modules, chacun d'entre eux correspondant à la hauteur de la tête, et que les quatre modules supérieurs englobent la zone comprise entre le haut de la tête et la ligne du pubis. Dans le cas présent, la hauteur des modules est très approximative car, le personnage étant agenouillé, une partie du corps se trouve un peu en retrait et la ligne du pubis est donc, elle aussi, légèrement déplacée. Il vous faut tout d'abord schématiser la figure à l'aide de lignes simples qui vous permettront de situer la tête, la ligne des épaules et celle des hanches. Après avoir défini ces premiers traits, passez aux articulations des épaules et des bras.*

2. La phase la plus complexe de l'exécution d'un nu est la schématisation initiale car elle est suivie du modelage des ombres, dont la réalisation implique que chacun des éléments de la figure soit parfaitement défini et proportionné par rapport au reste du dessin. Le schéma étant terminé, vous pouvez commencer à appliquer les premiers tons foncés. Les tons foncés permettent d'approfondir l'étude de l'anatomie et de mettre en relief les zones de lumière. Il convient d'exécuter toute cette phase au fusain pour faciliter d'éventuelles retouches. Faites ressortir tout le côté gauche de la silhouette en ombrant légèrement le fond. La principale source de lumière se trouve de ce côté. Commencez ensuite à dessiner les tons foncés situés sur la droite.

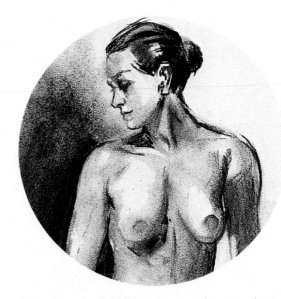

3. Après avoir situé les premiers tons foncés, redessinez les lignes de la tête et de l'épaule gauche. L'inclinaison et la position de la tête font ressortir la musculature du cou ; intervenez très délicatement sur celle-ci à l'aide de l'estompe pour rehausser les contrastes. Vous pourrez accentuer les tons foncés au fur et à mesure de la réalisation des contrastes. Observez l'ombre de la tête sur l'épaule droite.

4. Utilisez l'extrémité du bâton de fusain pour rehausser fortement les contrastes sur tout le corps. À partir de ce moment, vous pouvez réaliser le modelé du bout des doigts car les zones qui restent à traiter sont plus étendues. Dans les parties très lumineuses telles que les seins, les épaules ou les avant-bras, ouvrez les clairs à la gomme. Délimitez ensuite les lignes qui dessinent les contours du corps à l'aide d'un tracé net et foncé, puis commencez à dessiner les mains.

5. *Si jusqu'ici vous avez utilisé un fusain normal pour définir le dessin, il vous faudra maintenant employer un fusain comprimé car ce type de médium permet d'obtenir des tons foncés bien plus contrastés. Commencez à ébaucher certains traits et certaines zones foncées au bâton de fusain comprimé, mais tenez compte du fait que ce médium est beaucoup plus stable que le fusain normal et qu'il ne sera donc pas facile de retoucher le tracé. Dessinez la ligne de la jambe jusqu'à la hanche droite et noircissez fortement le fond de ce côté. Utilisez également le bâton de fusain comprimé pour assombrir le côté gauche, mais sans exercer une pression trop forte sur le papier, car ce tracé doit se fondre sur l'ombre précédente, dessinée au fusain.*

6. *Observez la progression du modelé sur le dessin ci-contre ; il ne s'agit pas d'une tâche difficile, car les zones de lumière et d'ombre sont parfaitement visibles sur le modèle. Le travail à la gomme est très important car il permet de donner de la profondeur aux formes préalablement estompées. Ouvrez les zones lumineuses de l'abdomen et des bras à la gomme, mais sans essayer d'obtenir un blanc parfait.*

L'estompe permet bien entendu d'estomper le tracé et de le fondre sur le papier, mais cette opération gagne en sensibilité lorsqu'elle est effectuée du bout des doigts. Le dessinateur peut par contre accéder à des endroits plus précis avec l'estompe et peut même l'employer pour dessiner.

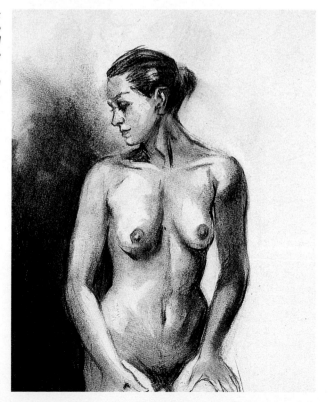

7. Réalisez les derniers contrastes et dégradés sur le côté et sur les bras, et retracez les formes que vous avez éventuellement perdues lors du long travail de construction de l'anatomie. Utilisez ensuite la gomme pour éliminer définitivement toutes les zones qui ont été salies pendant le processus, et rouvrir les clairs dans les zones dans lesquelles cela s'avère nécessaire en raison de la lumière. Il ne vous reste plus qu'à fixer le dessin à l'aide de fixateur spray.

Pour que le volume de la silhouette soit bien défini et résolu, il convient que la lumière incidente ne provienne que d'une seule source. Une silhouette ne doit jamais recevoir une lumière d'intensité égale de chaque côté.

SCHÉMA - RÉSUMÉ

Après la schématisation initiale, **les formes sont définies** grâce aux gris qui les entourent ; les premiers gris à appliquer sont ceux du fond et doivent indiquer la direction de la source de lumière.

Il est important de bien situer **les points de lumière maximale** pour définir le volume de la silhouette.

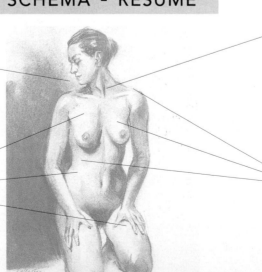

La colonne vertébrale est le **centre du corps** ; c'est de cet axe que partent la ligne des épaules et celle des hanches.

Les blancs les plus **lumineux du corps,** situés sur la poitrine, le côté et les épaules, s'ouvrent à la gomme.

Croquis de personnages

SIMPLICITÉ DES FORMES

Toute forme complexe peut être réduite à une autre forme plus simple. Pour dessiner une forme complexe telle qu'un personnage dans une pose compliquée, c'est-à-dire agenouillé ou assis, il convient donc de partir d'une forme simple et élémentaire ; dans le cas de l'exemple que nous vous proposons ci-après, il s'agit d'un triangle. Cette constante se répète dans tous les thèmes de ce livre car, en définitive et comme Cézanne l'a affirmé, un dessin ne présente pas de difficulté particulière s'il est élaboré à partir de formes élémentaires.

L'un des thèmes les plus difficiles dans le domaine du dessin, mais aussi l'un des plus exigeants pour le dessinateur amateur, est celui du croquis de personnages. L'étude de la silhouette à travers le croquis représente un apport constant pour l'artiste dans le cadre de son apprentissage et de son perfectionnement. Les croquis sont des notes rapides réalisées le plus rapidement possible ; la pratique répétée de cet exercice permet au dessinateur d'acquérir une plus grande maîtrise du geste et de trouver des réponses à toutes sortes de questions liées à la représentation du corps humain.

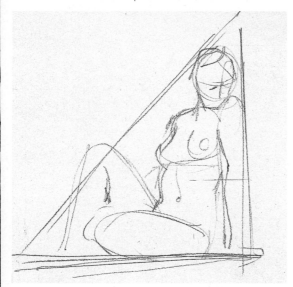

▶ Le modèle ci-contre ne sera pas très difficile à construire à partir du schéma initial de ses formes si vous tenez compte de ses proportions fondamentales. L'utilisation d'un médium graphique tel que le fusain, ou ici la sanguine, facilite grandement le travail ; en effet, ces médiums peuvent être utilisés à plat et transversalement par rapport au tracé, ce qui permet de résoudre très aisément les plans d'ombre tout en délimitant les zones de lumière.

▼ Ces croquis sont réalisés au crayon de graphite ; essayez de les schématiser à partir de formes élémentaires. Tracez tout d'abord les lignes externes puis, à partir de celles-ci, dessinez les formes internes de chacune de ces silhouettes.

DE L'ÉBAUCHE À LA FORME

Avant chaque séance, nous vous conseillons de réaliser un certain nombre de croquis rapides n'ayant pour seules prétentions que la répétition du geste et la pratique du tracé. Ces travaux préliminaires doivent uniquement avoir pour but d'esquisser les grandes lignes grâce à un nombre minimal de traits ; le dessin peut rester inachevé, cela n'a aucune importance. Le degré d'achèvement d'un croquis rapide importe peu ; c'est la raison pour laquelle un grand nombre de croquis rapides se réduisent presque à une simple tache. Il est même inutile d'esquisser la plupart des parties du corps.

Comme son nom l'indique, le croquis doit seulement représenter l'essentiel, les éléments de base qui composent la figure. Son exécution exige donc une grande capacité de synthèse et tout travail se rapportant aux détails, aux retouches ou aux finitions est en contradiction avec ce que doit être un croquis.

▼ **1.** *Pour dessiner ce croquis, délimitez les principales formes de la silhouette de façon très synthétique à l'aide d'un bâton de fusain comprimé, en alternant les tracés plans et transversaux et l'emploi de l'extrémité du bâton ; vous devez définir la forme, mais en vous contentant de faire en sorte qu'elle soit perceptible, pas plus. Moins vous dessinerez de lignes et de taches, moins vous aurez de retouches à faire.*

▼ **2.** *Les interventions que vous allez maintenant effectuer sur la silhouette esquissée ne doivent pas toutes posséder la même intensité. Certaines zones requièrent un tracé incisif pour renforcer une ligne principale, alors que, pour d'autres parties du corps, le tracé peut aller jusqu'à disparaître ; la forme est alors suggérée par la ligne qui lui est opposée. Cette technique permet de suggérer des parties du corps éventuellement invisibles sur le modèle.*

▼ **3.** *Dans certains cas, le modèle comporte des zones plus difficiles et plus longues à résoudre. Il vous suffit de ne pas les dessiner et de vous contenter de les suggérer grâce à d'autres traits plus marqués et plus décidés. Comme vous pouvez le constater ci-dessus, l'intérêt d'un croquis est uniquement constructif ; les détails importent peu, seules les taches et l'étude immédiate de la pose sont intéressantes.*

CROQUIS À LA SANGUINE

L'une des façons les plus attrayantes de s'initier au dessin de personnages consiste à travailler à partir de taches planes obtenues à l'aide de médiums secs en bâton tels que le fusain ou la sanguine. Après avoir réalisé quelques croquis très rapides et très déliés, il convient de commencer à travailler sur des poses en pied car leur complexité est très variable. Une pose en pied est plus simple à comprendre et à esquisser qu'une pose allongée.

Les croquis les plus faciles à réaliser sont ceux dont l'exécution n'est pas limitée dans le temps car le dessinateur a alors la possibilité d'effectuer des retouches ; nous vous recommandons néanmoins de ne pas employer de gomme, mais de retoucher la ligne concernée en la retraçant, car cela vous permettra de prendre conscience des points de référence que vous ne devez pas utiliser. Cette recommandation est applicable aux exercices que nous vous proposons sur cette page, pour lesquels nous vous conseillons également de vous fixer un temps limite. Il est nécessaire que vous teniez compte des aspects suivants lors de l'exécution d'un croquis de personnage : la proportion entre la tête et le corps, la forme de la colonne vertébrale, l'inclinaison des épaules par rapport aux hanches, ainsi que la position des jambes et leur appui sur le sol.

▼ *Dans le cas ci-dessus, prêtez une attention particulière à l'arrondi de la ligne qui définit la colonne vertébrale car il conditionne tout le reste du dessin. Tenez le bâton de fusain à plat pour réaliser les taches qui représenteront les zones foncées du corps. Contentez-vous d'esquisser les détails des mains et du visage.*

▶ *L'emploi correct du bâton tenu à plat permet de résoudre très rapidement des formes relativement complexes. L'extrémité du bâton permet de tracer les dernières lignes qui délimiteront définitivement la silhouette. Les zones foncées d'un croquis de personnage doivent être traitées avec autant de soin que les parties qui accueilleront des blancs intenses.*

Thème 13 : Croquis de personnages

▶ *Les croquis de person-nages doivent être exécu-tés de façon à ce que la technique n'entrave pas le dynamisme du travail ; vous ne devez avoir recours ni à la gradation des tons ni au modelé. L'une des meilleures façons de com-mencer le dessin rapide qu'est le croquis consiste à réaliser un tracé net et fin destiné à définir la forme la plus éclairée de la silhouette, et un tracé épais, que vous devrez effectuer au graphite ou au fusain, en tenant celui-ci à plat, et qui vous permettra de dessiner la forme complète des ombres du modèle en un seul passage.*

ANGLE DE VISION

Q ue le modèle soit statique ou en mouvement, il est inté-ressant de le dessiner sous des angles différents et de cerner la figure au fil des croquis réalisés. Chaque angle offre un choix de pose différent ; une même pose varie totalement selon l'angle de vision. Étant donné que vous allez réaliser ces exercices à partir des images statiques que nous vous propo-sons, il est intéressant que vous reproduisiez rapidement les dessins ci-après.

▼ *L'exécution du croquis pose un certain nombre de problèmes relati-vement complexes lorsque le modèle n'est pas un personnage en pied. Les éléments les plus difficiles à résoudre sont essentiellement la position des jambes et les zones dans lesquelles certaines parties du corps ne sont pas visibles ; vous devez déterminer le point de départ de chacune des lignes à dessiner, l'emplacement de leurs points d'arti-culation et la façon dont ceux-ci reposent sur la structure du corps.*

▼ *Les problèmes sont d'un autre ordre lorsque le modèle est en position assise : les articulations et les membres n'apparaissent plus comme des prolongements du corps mais comme différents plans qu'il convient d'unir par un tracé ou une ombre. Prêtez une attention particulière à la forme des articulations et aux parties non visibles, car vous devez en tenir compte pour déterminer le point de départ de chaque membre. La jambe gauche est cachée, mais il est facile de deviner sa position grâce à celle de la jambe droite.*

116

pas à pas
Croquis d'après nature

S'agissant d'un travail presque spontané, il est assez difficile de consacrer une séance entière à l'exécution d'un seul croquis ; l'exercice que nous vous proposons ici comprend donc deux modèles ; le premier représente une figure en pied et le second un personnage allongé sur le sol. Quelques traits suffisent à définir ces deux croquis. Même s'il ne s'agit pas ici d'une véritable séance de pose d'après nature, votre travail sera similaire puisque vous disposerez de références photographiques équivalentes. Avant de vous lancer dans cet exercice, nous vous conseillons d'observer la répartition des poids du corps, ainsi que les lignes principales du modèle.

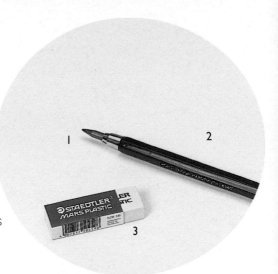

1. *Dessinez le schéma très rapidement, en commençant par la tête et la ligne des épaules. Si nécessaire, vous pouvez également dessiner la forme générale du corps en l'inscrivant dans un triangle dont le sommet supérieur coïncide avec la tête et les sommets inférieurs avec les pieds. La ligne des épaules, qui détermine la pose du corps, est légèrement inclinée ; cela provoque une petite torsion et une asymétrie de l'arrondi des épaules ; la courbe de l'épaule droite est plus fermée que celle de l'épaule gauche. Il n'est pas nécessaire de dessiner les articulations des coudes ; il suffit de les suggérer à l'aide du tracé de l'avant-bras et du bras.*

PAS À PAS : Croquis d'après nature

3. *Pour terminer, dessinez les zones sombres des jambes en procédant de la même façon que pour la zone supérieure du tronc. Réservez les points de luminosité maximale du mollet droit et du fessier ; la présence de tons foncés autour de ces points augmentera la sensation de luminosité. Il ne vous reste plus qu'à accentuer les principaux traits du croquis, sans détailler la forme des parties du corps qui ne sont pas essentielles, comme c'est le cas des doigts.*

2. *Ne commencez à situer les ombres que lorsque vous avez parfaitement défini le schéma initial. L'application de tons foncés sur un croquis rapide a pour seul objectif la séparation des plans de lumière et des plans d'ombre du corps. Dessinez les principales zones sombres pour faire ressortir les parties les plus lumineuses. Cette phase de travail est très rapide et s'effectue à l'aide de l'arête du bâton de graphite ou de la surface plane d'un petit morceau de la mine de graphite que vous aurez extraite du portemine. Les détails des zones qui doivent accueillir des tons foncés dépendent uniquement de la taille du dessin.*

Les premières lignes du **schéma** doivent être nettes ; la phase suivante consiste à étudier la position des épaules, de la colonne vertébrale et des hanches.

La réalisation des tons foncés est très rapide ; elle s'effectue avec l'arête du bâton de graphite.

Ce second exercice consiste en la représentation d'un personnage allongé sur le sol. Vous vous souviendrez certainement de ce que le corps du modèle précédent pouvait s'inscrire dans un triangle ; celui-ci également, mais la forme du triangle est différente. Essayez de tracer un schéma très synthétique avant de commencer à dessiner ; la position du personnage s'en trouvera grandement simplifiée et ses formes seront plus évidentes.

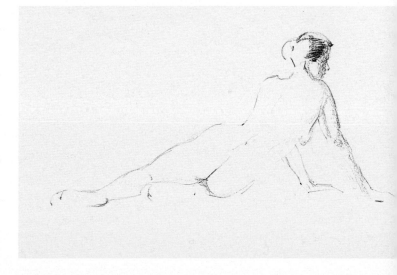

1. Commencez par dessiner la tête, à partir de laquelle vous définirez la ligne des épaules. Le modèle montre assez clairement la forme et la courbure de la colonne vertébrale. Dans l'exercice précédent, le dos était partiellement caché par le bras, alors qu'ici, il n'existe aucun obstacle visuel ; le plan du dos est donc plus facile à schématiser. La ligne des hanches est inclinée vers la droite et l'angle qui résulte de cette inclinaison est très fermé ; cela est dû à l'appui sur le sol. La jambe droite étant repliée, il vous suffit d'en dessiner une partie.

2. *La réalisation du schéma initial s'effectue très rapidement. Ne vous inquiétez pas s'il vous faut retoucher ce schéma car il est difficile d'exécuter un croquis parfait dès la première tentative ; c'est un travail qui requiert beaucoup de pratique et il est nécessaire d'effectuer de nombreux essais avant d'obtenir un résultat satisfaisant. Cette phase du croquis permet de définir les questions anatomiques les plus complexes. Sur le dessin exempt de toute autre ligne que celles qui sont essentielles, tracez les contrastes qui vous permettront de suggérer les volumes du corps. Pour rendre la flexion de la jambe, assombrissez le haut de la zone postérieure de la cuisse gauche. D'un tracé rapide, ombrez également le côté droit de la figure. Les zones de lumière des bras doivent être à peine marquées.*

L'ensemble du corps s'inscrit dans un schéma triangulaire parfaitement défini.

Le tracé des **tons foncés** doit être épais et uniforme, sans gradation de tons ; il s'agit simplement de séparer les zones de lumière et d'ombre, et de mettre en évidence les parties suggérées par ces tons.

3. *Rendez le volume complexe des jambes à l'aide d'un contraste très marqué séparant parfaitement la base de la fesse droite et le pied. Cette zone très foncée créera un grand effet de profondeur. Lorsque les tons foncés sont trop denses, ils ont tendance à déséquilibrer les zones qui accueillent des tons moyens ; dans le cas présent, il vous faut rééquilibrer l'ensemble en assombrissant également le bras gauche ; le poignet et la main devront à peine être suggérés par la lumière.*

Le visage

ÉTUDE DE LA FORME DE LA TÊTE

L'exécution d'un dessin doit toujours être progressive et les formes à la base du schéma initial doivent être suffisamment simples pour permettre une évolution décidée et sûre du tracé ; le dessinateur ne peut manquer de respecter ces règles s'il souhaite réaliser une étude correcte du visage. Tous les éléments qui composent le visage doivent se situer à l'intérieur de la structure délimitée par ces lignes élémentaires.

La tête est, sans aucun doute, l'une des parties les plus frappantes du corps humain ; il convient donc d'accorder une importance particulière au dessin du visage. Les traits et les proportions doivent respecter un ensemble de règles parfaitement définies, bien que, dans la pratique, ces normes et le canon qui en découle varient considérablement selon le modèle.

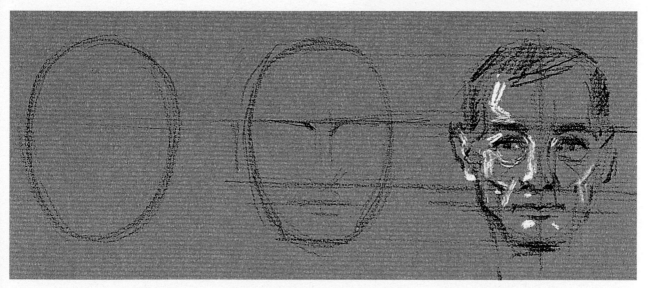

▼ 1. *Vu de face, le visage s'inscrit dans une forme ovale, dont les caractéristiques peuvent varier d'un individu à l'autre. Ces exemples ne prétendent pas suivre un canon déterminé ; leur objectif est uniquement de vous fournir un élément de référence utilisable quelles que soient la forme de la tête et les proportions.*

▼ 2. *Divisez la forme ovale dans laquelle s'inscrit la tête en trois parties de hauteur pratiquement égale ; la partie supérieure peut être un peu plus haute que les deux autres, car elle accueille une portion de la zone supérieure visible de la tête. La zone intermédiaire sera occupée par les yeux et le nez. La partie inférieure accueillera la bouche.*

▼ 3. *La proportion des traits du visage est parfaitement visible sur l'illustration ci-dessus. La ligne verticale qui divise le visage en son centre est l'axe de symétrie qui vous permettra de situer les traits du visage de façon équilibrée ; cela n'est bien entendu valable que si le visage que vous dessinez est vu de face. Nous vous conseillons de vous exercer à tracer des schémas de ce type sur des photographies car cela vous permettra de mieux comprendre l'importance des lignes essentielles du visage.*

LES YEUX ET LE NEZ

Après avoir étudié, sur la page précédente, la structure générale du visage, il vous faut maintenant aborder séparément chacun de ses éléments pour obtenir une représentation satisfaisante des traits. Cet exercice vous apprendra à maîtriser leur tracé et à réaliser un portrait parfait, de face comme de profil.

> Les yeux et le nez occupent la partie centrale de l'ovale dans lequel s'inscrit la forme de la tête. Il est indispensable d'observer attentivement le visage avant de commencer à dessiner. L'œil ne pourra être considéré comme étant bien dessiné que s'il exprime un sentiment.

▼ **1.** Tracez tout d'abord la forme parfaitement circulaire dans laquelle s'inscrit l'œil et qui correspond à l'orbite. Dessinez ensuite les paupières à l'intérieur de ce cercle ; la paupière supérieure doit être légèrement plus oblongue que la paupière inférieure.

▼ **2.** Les paupières du dessin ci-dessus ont été obtenues grâce à la forme circulaire dans laquelle s'inscrit l'œil. N'exagérez pas le tracé des cils de la paupière supérieure, mais tenez compte du fait que les femmes possèdent généralement des cils bien plus fournis que les hommes. La courbure des cils ne doit être visible que sur le côté droit de la paupière.

▼ **3.** Vue de profil, la forme de l'œil s'inscrit également dans un cercle ; il suffit de prendre pour référence le point de mire et de tracer deux lignes formant un angle relativement fermé pour représenter les paupières.

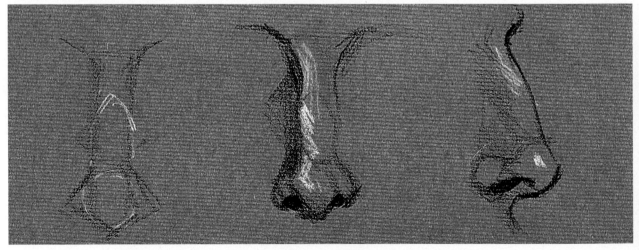

▼ **1.** Le nez s'inscrit dans une forme rectangulaire allongée ; vous remarquerez que, sur le schéma ci-dessus, le dessinateur a insisté sur le bout du nez, qui possède une forme circulaire, et sur l'arête, légèrement bosselée. La partie plus ou moins rectiligne du nez s'inscrit dans le schéma rectangulaire, mais les narines doivent sortir du rectangle.

▼ **2.** En partant du schéma précédent, il suffit ensuite d'ombrer légèrement le nez pour le doter du volume nécessaire. Comme toujours, les rehauts de blanc permettent d'accentuer le volume.

▼ **3.** Vu de profil, le nez s'inscrit dans un triangle dont l'angle droit est situé à l'intersection de la hauteur et de la base.

LA BOUCHE

Contrairement aux apparences, la bouche est assez difficile à dessiner car les lèvres ne peuvent pas être représentées sous la forme d'une simple ligne droite. Il est important de prêter une attention particulière aux courbes sinueuses situées autour de l'axe central et aux commissures.

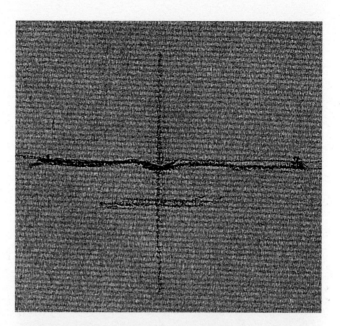

1. Pour obtenir une symétrie parfaite, tracez une ligne horizontale dont le centre coïncide avec l'axe vertical et dont la longueur correspond à la largeur de la bouche. Cette ligne constituera le schéma initial qui vous permettra de définir les principales courbes des lèvres. La lèvre inférieure est la plus proéminente et sert de base au dessin du menton. Le tracé des commissures des lèvres est un détail important qui peut être résolu à l'aide de deux traits coupant délicatement la ligne de la bouche.

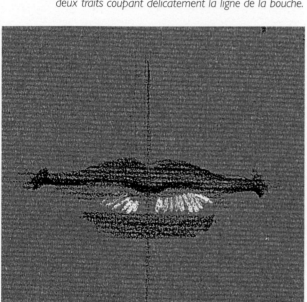

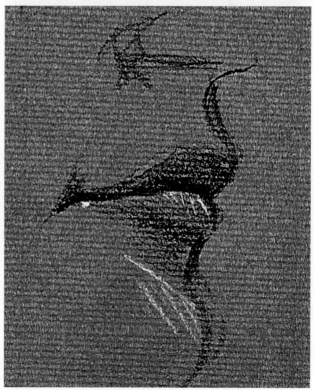

▼ *2. Prêtez également une attention particulière à la petite ondulation située au centre des lèvres car elle conditionne la forme de la lèvre supérieure sur la lèvre inférieure. Dessinez la lèvre supérieure à l'aide d'un arrondi très délicat, symétrique par rapport à l'axe central ; la lèvre supérieure doit être plus foncée que la lèvre inférieure ; contrairement à la lèvre supérieure, la lèvre inférieure ne doit pas être définie par un tracé fermé, mais en ombrant le haut du menton. Les rehauts de blanc permettent de séparer les deux lèvres.*

Le schéma initial de la bouche vue de face est composé de deux lignes perpendiculaires ; il s'agit là des seules lignes droites du dessin ; aucune autre ligne de ce type n'intervient dans le tracé de la bouche.

▼ *Observez attentivement ce dessin : vous constaterez que le schéma de la bouche vue de profil est similaire à la moitié du schéma précédent. Le tracé de la commissure est très important pour conférer un aspect naturel et réaliste à l'ensemble.*

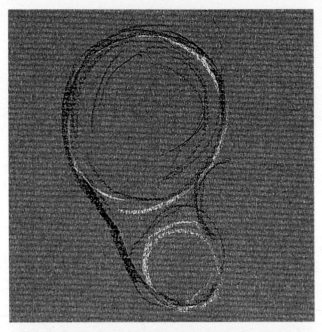

L'OREILLE

Cela peut paraître étonnant, mais l'oreille est très facile à dessiner ; il s'agit néanmoins de l'une des parties du visage les plus mal exécutées. Le schéma se base sur deux formes géométriques très simples, qui permettent de définir l'ensemble de l'oreille. La structure de l'oreille varie selon l'individu. Le lobe peut être peu développé ou, au contraire, très allongé. Cette caractéristique doit apparaître sur le schéma initial.

▶ 1. *Comme vous pouvez le constater ci-contre, le schéma initial est composé de deux formes circulaires. Le plus grand de ces deux cercles correspond à la zone supérieure de l'oreille ; la partie inférieure de celle-ci, qui s'inscrit dans un cercle beaucoup plus petit, facilite la détermination de l'emplacement du lobe.*

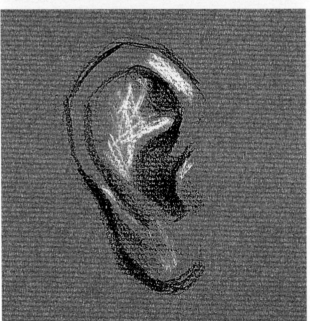

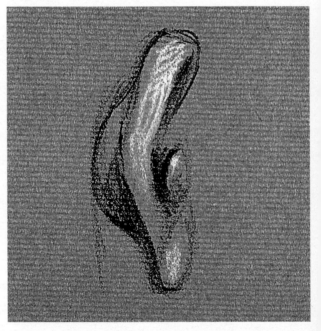

▼ 2. *Le schéma initial sert de base au reste du dessin ; comme vous pouvez le constater, la forme définitive n'est pas très difficile à résoudre. Il suffit de dessiner les plis internes en partant de la cavité interne et du lobe moyen, puis de tracer les tons foncés, qui ressortiront grâce aux rehauts de blanc plus lumineux.*

▼ *Vue de trois quarts dos, l'oreille n'est pas compliquée à dessiner ; nous vous conseillons néanmoins de vous exercer à la représenter en variant le point de vue pour apprendre à maîtriser les changements de plans occasionnés par les mouvements de la tête. Comme vous pouvez le constater, vue de dos, la cavité interne de l'oreille acquiert une forme sphérique.*

pas à pas
Portrait à la sanguine

Pour que le rendu d'un portrait soit satisfaisant, il convient avant tout d'étudier le visage. Le thème du portrait est, sans aucun doute, complexe, puisque la ressemblance entre le modèle et le dessin peut aisément être vérifiée. Savoir représenter les traits du visage est une chose et réussir un portrait ressemblant en est une autre. Il ne sert à rien de savoir dessiner si ces traits ne sont pas bien structurés à l'intérieur du schéma du visage dessiné. Comme nous l'avons vu dans les exemples de cette leçon, la forme du visage varie selon l'individu. Le visage représenté ci-dessous, par exemple, ne présente pas une structure ovale ; la présence de la barbe lui donne plutôt une forme rectangulaire.

MATÉRIEL NÉCESSAIRE

Bâton de sanguine (1), bâton de craie blanche (2), crayon de sanguine (3), crayon sépia (4), gomme (5), papier de couleur crème (6) et fixateur en spray (7).

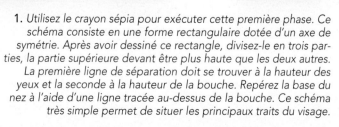

1. *Utilisez le crayon sépia pour exécuter cette première phase. Ce schéma consiste en une forme rectangulaire dotée d'un axe de symétrie. Après avoir dessiné ce rectangle, divisez-le en trois parties, la partie supérieure devant être plus haute que les deux autres. La première ligne de séparation doit se trouver à la hauteur des yeux et la seconde à la hauteur de la bouche. Repérez la base du nez à l'aide d'une ligne tracée au-dessus de la bouche. Ce schéma très simple permet de situer les principaux traits du visage.*

2. *Après avoir tracé les lignes principales, dessinez les traits du visage à la sanguine. Utilisez également ce médium pour dessiner les principaux contrastes du visage. Commencez par les cheveux, qui délimiteront la forme du crâne. Vous pouvez ensuite commencer à disposer les principaux contrastes sur le dessin préalablement esquissé ; étant donné le ton du crayon de sanguine, celui-ci vous permettra de réaliser une approche progressive de la forme des traits du visage tout en vous offrant la possibilité d'effectuer les retouches nécessaires. À l'aide de la craie blanche, appliquez les premiers rehauts sur les points les plus lumineux du front et de l'espace situé entre les sourcils.*

3. *L'évolution des contrastes du visage doit être progressive ; l'objectif de ce processus est une gradation des plans en fonction de la lumière qui frappe chacun d'entre eux. Les points primordiaux de tout portrait sont l'emplacement des traits du visage et la recherche de l'expression de celui-ci à partir des proportions de ces traits. Dessinez en premier lieu la partie correspondant aux yeux. Comme vous pouvez le constater, l'arc de la paupière supérieure est plus courbé que celui de la paupière inférieure. Le rehaut réalisé sur le nez permet de définir la forme de l'arête et celle du bout du nez. Du bout des doigts, assombrissez les tons et tentez de donner du volume au visage.*

4. *Lorsque vous considérez que les traits du visage sont définitifs, le plus important est de les développer à partir des contrastes offerts par les médiums utilisés pour cet exercice. Le crayon sépia permet d'augmenter les nuances les plus contrastées du visage, alors que la couleur du papier, unie aux tons plus lumineux de la sanguine et aux blancs, sert à situer les rehauts sur le front, le nez et les pommettes.*

5. *Du bout des doigts, fondez quelques-uns des tons foncés du visage ; ajoutez également de nouveaux contrastes sur les ombres à l'aide du crayon sépia. Tenez compte de l'éclairage du visage lors de l'application de ces tons foncés. En observant le modèle, vous constaterez que la source principale de lumière provient de la droite ; cela provoque une accumulation des ombres sur le côté gauche. Dessinez les rehauts de lumière de la lèvre inférieure au bâton de craie blanche. Assombrissez sensiblement le côté gauche de la veste et couvrez entièrement la chemise de blanc, excepté le côté gauche sur lequel la sanguine estompée empiète.*

Si, après avoir obtenu un dessin initial particulièrement réussi, vous ne voulez pas que celui-ci risque d'être endommagé par un gommage ou des retouches ultérieures, vous devez le fixer avant de poursuivre votre travail. Mais sachez qu'une fois fixé, vous ne pourrez plus ni retoucher ni gommer d'éventuelles erreurs.

6. *Il est important d'appliquer les contrastes de façon progressive pour éviter l'apparition de faux effets de volume. Il est tout aussi important de graduer les reflets en fonction des contrastes ajoutés. Tracez les lignes allongées et isolées qui vous permettront de représenter la barbe et de suggérer la texture des poils. Du bout des doigts, estompez les reflets trop lumineux tels que ceux de la lèvre inférieure, et fondez-les sur la couleur du papier.*

Faites attention lorsque vous ombrez des zones présentant un rehaut car vous risquez de transformer le blanc en un gris sale.

127

7. *Il ne vous reste plus qu'à estomper les zones susceptibles d'avoir été trop contrastées par le tracé de couleur sépia, et à redessiner celles ayant éventuellement souffert du gommage et de l'estompage. Appliquez les derniers rehauts à la craie blanche en alternant le fondu avec les tons qui les entourent et le contact direct.*

SCHÉMA - RÉSUMÉ

La structure du visage doit être schématisée sous une forme très simple et linéaire permettant d'étudier les proportions et les dimensions.

Les yeux s'inscrivent dans une forme circulaire correspondant à celle des orbites ; l'arc de la paupière supérieure doit être plus courbé que celui de la paupière inférieure.

Le nez s'inscrit dans une figure géométrique rectangulaire et symétrique à laquelle vient s'ajouter la forme des narines.

Les rehauts de blanc mettent en évidence les zones lumineuses de chaque partie du visage.

15

Paysage

STRUCTURE FONDAMENTALE DU PAYSAGE DE MONTAGNE

Le paysage de montagne est un sujet attrayant et peu complexe, surtout lorsqu'il est traité comme s'il était composé de différents plans superposés. Avec un peu de pratique, vous pourrez exécuter de beaux paysages en utilisant n'importe laquelle des techniques graphiques connues. Nous vous proposons ici un exercice à réaliser au pinceau et basé sur la technique du lavis. Il vous suffira donc de disposer d'une couleur à l'aquarelle, d'un verre d'eau et d'un pinceau ; le procédé graphique que vous allez employer est l'un des plus classiques.

Le paysage est l'un des thèmes préférés de bon nombre de dessinateurs amateurs car, d'une part, il leur laisse une grande latitude créative et, d'autre part, il n'est pas aussi assujetti à la rigueur des dimensions et des proportions que la figure, la nature morte ou le portrait. Le dessin de paysage offre une grande variété de choix dont la seule limite est la capacité créative du dessinateur. Nous aborderons, tout au long de ce thème, des questions d'ordre très général relatives au paysage.

▶ 1. *L'esquisse initiale vous permettra de situer les différents plans du paysage. Vous devrez utiliser la technique du lavis, c'est-à-dire travailler avec une seule couleur à l'aquarelle. Vous constaterez vous-même que l'exécution de ce paysage ne présente aucune difficulté car la technique à employer est identique à celle utilisée pour tout autre procédé de dessin ; la seule différence réside dans l'emploi d'un pinceau et d'aquarelle.*

▶ 2. *Après avoir terminé le schéma initial, peignez le ciel dans un ton foncé, en laissant la forme des nuages en blanc. Procédez de la même façon pour les montagnes : laissez les parties lumineuses en blanc. Les différents plans du paysage sont séparés par ces zones blanches, que l'on appelle des zones de réserve.*

3. *Après avoir peint les parties du paysage et laissé en réserve les principaux tons lumineux, peignez les tons foncés qui vous permettront de définir les arbres. N'appliquez ces couleurs que lorsque la première couche d'aquarelle est parfaitement sèche afin d'éviter que les tons clairs et les tons foncés se mélangent.*

LE PAYSAGE URBAIN

Pour bon nombre de dessinateurs, le thème du paysage est particulièrement attirant lorsqu'il a pour sujet la ville. Même lorsque son exécution ne peut être réalisée d'après nature, il s'agit d'un thème très attrayant et extrêmement intéressant en raison de la complexité des bâtiments et de la possibilité de travailler à partir de cadres de taille réduite, mais très riches du point de vue artistique. Le dessinateur sélectionne les zones de paysage qu'il souhaite représenter et, à partir de ce choix, dévoile sa sensibilité et projette sa vision personnelle de la ville sur le papier.

▶ *Pour exécuter un paysage urbain sur différents plans, comme pour l'exemple ci-contre, vous pouvez utiliser ou non la perspective. Quel que soit votre choix, il est important de respecter certaines notions de perspective telles que la direction des ombres sur les murs des bâtiments.*

▶ *Le paysage urbain peut aussi révéler des thèmes très attrayants dans des endroits comme celui-ci. L'aspect le plus important de ce modèle est la différence de contrastes entre le premier plan, extrêmement détaillé grâce aux tons foncés de la végétation et à la structure constructive, et le plan du fond. Cette différence de tons vous permettra d'exécuter un contre-jour accentué.*

▼
Cette vue est totalement exempte de perspective et présente les maisons du village de face ; la tâche principale consiste ici à définir les multiples détails des fenêtres et les contrastes des toitures.

1. Il convient de schématiser les nuages avant de commencer à les ombrer à l'aide de demi-teintes. Assombrissez toute la surface du ciel, excepté la zone correspondant aux nuages ; cette opération fera ressortir le blanc. Si nécessaire, vous pouvez également renforcer le blanc à la gomme pour définir la forme des nuages. Traitez ensuite la zone intérieure des nuages à l'aide de tons foncés qui leur donneront du volume et estompez les contours de ces tons du bout des doigts. Cet estompage sera plus ou moins facile à réaliser selon le médium utilisé ; nous vous conseillons de dessiner les nuages au fusain, au crayon de graphite ou à la sanguine.

LES NUAGES

L es nuages sont des éléments du paysage présents dans presque tous les thèmes susceptibles d'être traités par un dessinateur. Il n'est pas nécessaire de se trouver dans un environnement champêtre pour admirer un superbe ciel nuageux, il suffit de regarder par la fenêtre. La structure du ciel varie en fonction des conditions météorologiques et de l'heure. Les ressources disponibles pour dessiner des nuages sont nombreuses et variées. Nous vous proposons ici un exemple simple sur lequel vous pourrez vous baser pour exécuter toutes sortes de paysages. Les nuages peuvent, à eux seuls, constituer un thème de paysage très gratifiant.

2. Ouvrez les blancs les plus lumineux des nuages à la gomme, en utilisant sa faculté de tracé sur les surfaces préalablement ombrées, c'est-à-dire en l'employant comme s'il s'agissait d'un crayon. Les blancs correspondent aux reflets les plus lumineux des nuages. Cet effet doit être compensé par la présence des tons foncés.

3. L'utilisation combinée de la gomme et de vos doigts pour estomper les gris vous permettra de représenter des nuages comme ceux du modèle ci-contre sans aucune difficulté. Même s'il s'agit d'une tâche assez simple, le résultat sera toujours plus spectaculaire s'il est exécuté à partir d'un ciel réel ou d'une photographie. Vous pouvez inventer votre modèle, mais il risque non seulement de manquer de contraste, mais aussi de réalisme.

▶ 1. Cet exercice consiste à représenter un paysage fluvial ; la surface de l'eau étant tranquille, la rive s'y reflète parfaitement car l'eau agit comme un miroir qui renvoie l'image des objets se trouvant à l'extérieur. Lorsque vous délimitez les différentes zones du paysage, prenez soin de prévoir un espace suffisant pour abriter le cours d'eau. Dessinez tout d'abord la rive, puis, sur celle-ci, les arbres, et, en dernier lieu, leurs reflets légèrement déformés.

L'EAU

L'un des autres sujets susceptible d'être traité comme un thème de paysage indépendant est la représentation de l'eau, avec toutes les possibilités que cela implique. De nombreux dessinateurs éprouvent certaines réticences à l'égard de ce thème parce qu'ils considèrent qu'il est trop compliqué. Nous démontrerons dans cet exercice qu'il s'agit d'un sujet beaucoup plus simple qu'il n'y paraît à première vue. Les ressources que vous utiliserez peuvent être appliquées à tout autre thème comportant une surface d'eau.

L'eau peut se présenter sous diverses formes selon l'état de sa surface, cet état dépendant lui-même en grande partie de la vitesse du courant, de celle du vent et du ciel.

▶ 2. Plus la surface de l'eau est tranquille, plus les reflets sont visibles et nets. Ces reflets doivent toujours être plus contrastés que les objets reflétés, mais leurs contours doivent être moins précis. Représentez les ondulations de l'eau à l'aide de traits horizontaux dont l'intensité diminue au fur et à mesure qu'ils s'éloignent de la rive.

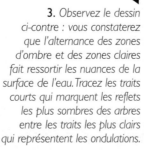

3. Observez le dessin ci-contre : vous constaterez que l'alternance des zones d'ombre et des zones claires fait ressortir les nuances de la surface de l'eau. Tracez les traits courts qui marquent les reflets les plus sombres des arbres entre les traits les plus clairs qui représentent les ondulations.

pas à pas
Sous-bois

Le paysage est l'un des thèmes graphiques les plus appréciés car la ressemblance avec le modèle n'a pas à être aussi exacte que dans le cas du portrait ou de la silhouette. Outre cet avantage, il n'implique pas l'emploi d'un médium particulier ; tout médium graphique permet d'obtenir une représentation satisfaisante. Le paysage forestier que nous avons choisi pour cet exercice doit être réalisé à la tige de bambou et à l'encre. Comme vous le savez, les caractéristiques du tracé fourni par la tige de bambou dépendent de sa charge en encre. Ce tracé est très noir lorsque la charge en encre est élevée mais, au fur et à mesure que celle-ci s'épuise, l'intensité du tracé diminue, ce qui vous permet de disposer d'une grande variété de gris. La plus grande difficulté de cet exercice consiste à laisser les blancs intacts car il vous sera impossible de les retoucher, excepté en les grattant à la lame de rasoir.

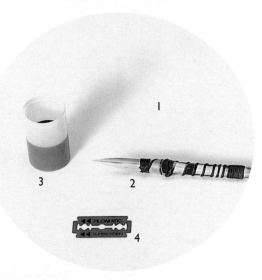

Vous pouvez dessiner à l'aide d'une tige de bambou, d'un bâton effilé ou d'une plume d'autruche ; les résultats obtenus se différencieront par la qualité du tracé.

1. *L'esquisse doit être exécutée directement à l'encre, sans passer par aucune autre phase intermédiaire ; le tracé de ces premières lignes doit être léger et peu chargé en encre en vue d'éventuelles retouches. Délimitez tout d'abord les deux grandes zones du plan principal. Dessinez-y les arbres situés au second plan et sur le fond rocheux. Ne chargez pas trop la tige de bambou en encre et faites un essai de tracé sur un papier identique à celui que vous utilisez pour dessiner afin d'obtenir l'intensité appropriée. Répétez cette opération chaque fois que l'encre s'épuise.*

2. *Commencez par le côté gauche du torrent. Les premiers traits, longs et parallèles, vous permettront de maîtriser le tracé. Dessinez une tache sombre au-dessus de cette zone, sans recharger la tige en encre. Avec ce qu'il reste d'encre, toujours sans recharger la tige, tracez ensuite les premiers gris des herbes situées sous les arbres qui se trouvent sur la gauche. Rechargez la tige en encre et tracez les premiers traits qui définiront les tons foncés des troncs d'arbres, en laissant les parties claires en réserve. Ne dessinez les gris que lorsque la réserve d'encre est sur le point de s'épuiser.*

3. *Poursuivez le travail à l'encre sur les arbres situés à gauche, en laissant toujours les parties les plus lumineuses en réserve. Chaque fois que la réserve d'encre de la tige s'épuise, profitez-en pour tracer les gris clairs des différentes zones telles que celle qui se trouve sur la gauche, au-dessus des arbres.*

4. *Les arbres situés au fond et à gauche doivent être beaucoup plus contrastés que ceux qui se trouvent au premier plan. Noircissez entièrement les troncs pour établir les séparations entre les différents plans du paysage, comme nous l'avons vu au début de la leçon. Dessinez les herbes du fond avant que la réserve d'encre de la tige soit totalement épuisée. Délimitez les contours des roches situées dans le fond et commencez à les contraster. Dessinez la végétation qui se trouve au fond et à droite à la tige de bambou, lorsque sa charge en encre est pratiquement épuisée.*

Pour obtenir des tons gris, il convient d'employer une tige très peu chargée en encre et d'insister sur les zones qui doivent accueillir ces tons. Le résultat obtenu est un tracé qui rappelle celui fourni par certains médiums graphiques secs tels que le fusain ou le crayon.

5. *Tracez les gris tendres du fond à l'aide de la tige de bambou, très peu chargée en encre, même si vous devez insister sur chacune des zones devant accueillir ces tons gris. Après avoir épuisé la réserve d'encre de la tige et l'avoir rechargée, dessinez les zones qui requièrent un tracé net ou plus de contraste que le fond. Dessinez quelques tons foncés sur l'arbuste situé sur la zone rocheuse, à droite, puis, lorsque le tracé s'affaiblit, revenez aux tons gris du fond. À l'aide de quelques traits longs, dessinez ensuite les roches situées au premier plan.*

Un tracé à l'encre ne peut être retouché qu'à la lame de rasoir. Le cas échéant, il est nécessaire d'attendre qu'il soit parfaitement sec avant de le gratter avec précaution, en prenant soin ne pas percer le papier.

6. *Pour représenter la texture des herbes qui se trouvent au premier plan, tracez des lignes entrecroisées, en quantité suffisante mais sans fermer complètement la trame. Cela aura pour effet d'accentuer le contraste entre ce plan et le plan moyen ; celui-ci présente de nombreuses zones blanches qui se transforment alors en reflets très purs.*

135

7. *Finissez de dessiner les arbres situés dans le fond ; la partie supérieure de leur tronc semblera plus foncée en raison de l'effet produit par l'ombre. Dessinez également les tons foncés les plus contrastés de la végétation. La réserve d'encre de la tige étant pratiquement épuisée, dessinez les gris les plus*

clairs du fond. Superposez plusieurs tracés pour créer un large éventail de gris d'intensités diverses. Ainsi se termine cet exercice exécuté à la tige de bambou, qui vous permettra de constater l'existence de nombreuses similitudes entre cette technique et les autres procédés graphiques secs.

L'esquisse initiale doit être directement dessinée à l'encre ; elle a uniquement pour but de délimiter les contours des arbres et l'emplacement de chacune des zones.

Peignez les premiers contrastes sur **les arbres situés sur la gauche,** en laissant en blanc les zones les plus lumineuses.

Dessinez **le premier essai de tracés** au premier plan.

SCHÉMA - RÉSUMÉ

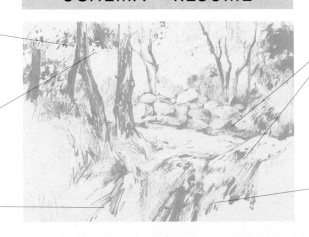

Le tracé des **roches situées sur la droite** doit être contrasté. Les gouttes d'encre doivent être étalées à l'aide de la tige de bambou.

Les **gris du premier plan** s'obtiennent à l'aide de la pointe de la tige lorsque celle-ci est presque sèche, et la charge en encre épuisée.

16 Éléments du paysage

LA TEXTURE D'UN TRONC

L'exemple que nous avons choisi ici requiert la représentation d'un tronc d'arbre au premier plan, mais la mise en œuvre de ce type d'élément de paysage peut s'avérer plus compliquée que celle que nous allons aborder sur cette page. Prêtez une attention particulière à l'interprétation du détail représenté ici car bon nombre des parties qui composent le tronc doivent être définies de façon à en suggérer d'autres ; il s'agit là d'une technique que vous retrouverez souvent dans le domaine du dessin.

Dans le thème précédent, nous avons étudié la façon dont les divers aspects d'un paysage peuvent être mis en œuvre ; en réalité, les principaux éléments qui composent un sujet de ce type varient en fonction de l'intérêt de l'artiste. Celui-ci peut représenter un sujet dont tous les éléments ont la même importance, comme c'est le cas d'une grande étendue de terrain ou, au contraire, dessiner un paysage dont l'un des éléments figure au premier plan ou est assez proche pour que l'on distingue clairement sa texture.

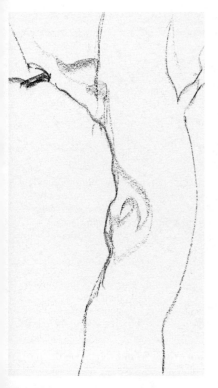

▼ 1. *Utilisez un bâton de graphite. La phase de schématisation est toujours importante car c'est la base de la mise en œuvre du sujet. La représentation de ce tronc est facile à définir ; un simple tracé suffit pour esquisser sa forme.*

▼ 2. *Noircissez les zones les plus sombres telles que la branche ; appliquez pour ce faire le ton le plus foncé susceptible d'être obtenu à l'aide du médium utilisé. Dessinez les parties sombres du tronc et estompez-les du bout des doigts de façon à créer un dégradé qui se fondra sur la zone plus lumineuse.*

▼ 3. *Vous disposez maintenant de la base tonale qui vous permettra de représenter la texture du tronc. Commencez à structurer l'écorce à l'aide de petits traits qui suivront la forme cylindrique du tronc. Il est important de conserver quelques taches lumineuses dans la partie la plus sombre car elles font ressortir le volume de cette zone. Plus vous avancez vers la zone lumineuse, plus votre tracé doit être doux et défini.*

MISE EN ŒUVRE DES ARBRES

Dans l'exercice du thème précédent, nous avons vu que le travail à la tige de bambou et à l'encre permet une élaboration très particulière du dessin, toujours proche de celle obtenue à l'aide des autres médiums secs les plus couramment utilisés. Dans la mise en œuvre d'éléments du paysage tels que les arbres, la combinaison de zones totalement traitées et de parties à peine suggérées est une ressource très employée. Elle confère au dessin un finissage frais et délié. Vous pouvez également appliquer cette technique lorsque vous dessinez au fusain, au graphite ou à la sanguine.

▶ *1. Comme nous l'avons vu précédemment, le dessin à l'encre peut être réalisé directement, sans passer par le crayon à papier ; vous pouvez néanmoins esquisser les formes de l'arbre au crayon si vous le souhaitez, mais cela n'est pas nécessaire. Dans le cas de ce dessin, vous pouvez utiliser une pointe émoussée, peu chargée en encre, car il vous suffit d'esquisser la forme de la cime et celle du tronc. La schématisation de l'arbre étant terminée, dessinez le côté droit du tronc, dont le tracé doit être ferme et contrasté. Vous aurez alors pratiquement épuisé la réserve d'encre de la tige et pourrez commencer à dessiner la texture de la cime, dont le tracé devra être rapide et continu.*

▼   ◀

2 et 3. La partie qui requiert le plus de contraste est située d'un seul côté de l'arbre, mais la séparation entre celle-ci et la zone moins contrastée ne doit pas être trop marquée. Le type de tracé dépend de la texture que vous souhaitez obtenir. Pour dessiner la texture grisâtre du tronc, vous devrez utiliser une pointe émoussée, peu chargée en encre, alors que pour obtenir le ton le plus dense votre tracé devra être plus net. L'emploi d'une tige chargée en encre vous permettra de dessiner des taches suggérant les ombres, représentées par des zones noires très denses.

1. *Comme toujours, la phase initiale du dessin est d'une importance cruciale pour la mise en œuvre du paysage. Il convient de définir toutes les [lig]nes pour déterminer la portée graphique de cha[cu]ne d'entre elles. Dans le cas de cet exercice, dessinez tout d'abord la ligne d'horizon et la zone [m]ontagneuse située dans le fond. Esquissez égale[m]ent la forme des rochers qui se trouvent au pre[m]ier plan, ainsi que celle des herbes, dont le tracé doit être délicat. La première zone à ombrer se trouve sur le rocher situé sur la droite ; noircissez une partie de ce rocher pour délimiter sa zone [d'o]mbre, tout en réservant la partie la plus éclairée.*

RENDU DE TEXTURES

Les textures les plus simples telles que les herbes ou les rochers posent générale-ment de sérieux problèmes aux dessina-teurs débutants car ceux-ci n'assimilent pas la simplicité des textures trop étendues. Les herbes ne sont pas uniquement constituées de traits, elles se composent également de zones de lumière et d'ombre qui affectent leur structure. Les rochers présents dans le paysage ne sont pas obligatoirement diffi-ciles à résoudre car il suffit d'ombrer une pierre pour suggérer leur texture.

2. *Pour définir les tons de référence du paysage, assombrissez légèrement le fond situé au-dessus [de]s montagnes. Commencez à suggérer le contraste des rochers qui se trouvent au premier plan en y [tr]açant des lignes entrecroisées. Observez l'exemple [c]i-contre : la texture du rocher est soulignée par la [pr]ésence d'une fissure dans la zone éclairée. Passez ensuite aux herbes : noircissez tout d'abord les [zo]nes d'ombre ; cette opération doit vous permettre de définir leur structure de façon générale.*

3. *Terminez le travail concernant les rochers en vous concentrant sur la représentation localisée [d]es parties les plus sombres. Le tracé ne doit pas être très visible et vos traits de graphite doivent donc être continus, mais délicats. En ce qui concerne les herbes, alternez les zones foncées [co]rrespondant aux ombres et les parties très éclai-[ré]es qui suggéreront la forme des touffes d'herbes.*

▶ **1.** *Nous nous contenterons ici de nous intéresser à la structure des rochers situés au premier plan, mais vous recommandons néanmoins de dessiner les éléments qui les entourent pour définir le contexte du sujet. La ligne d'horizon doit se trouver assez haut, de façon à ce que l'espace disponible pour le premier plan soit suffisant pour y dessiner les rochers. Tracez le premier schéma au crayon de papier ; il doit s'agir d'une schématisation rapide qui vous servira uniquement à situer les différents plans du dessin. Cela étant fait, définissez les zones foncées des montagnes qui se trouvent au fond et celles des rochers situés au premier plan à l'aide d'un bâton de fusain, en tenant celui-ci à plat.*

ROCHERS EN BORDURE DE MER

Au cours de l'exercice précédent, nous avons vu comment réaliser un rocher dans un environnement champêtre. Les rochers en bordure de mer sont beaucoup plus foncés et présentent une texture plus abrasive. Cet exercice va nous permettre d'étudier comment utiliser quelques médiums graphiques tels que le fusain normal et comprimé pour représenter, de façon très simple, la texture requise par ce type d'élément de paysage.

▶ **2.** *Estompez le fusain du bout des doigts ; le ton ainsi obtenu constituera une base parfaite pour la texture des rochers. Noircissez de nouveau les rochers situés au premier plan à l'aide du bâton de fusain comprimé, en le tenant à plat. Vous pouvez également utiliser l'extrémité du bâton, mais sans exercer une pression trop forte sur le papier car ce qui nous intéresse est d'obtenir la texture des rochers à partir du grain du papier et de l'estompage du fusain.*

▶ **3.** *Les zones les plus éclairées des rochers ne doivent pas être blanches ; la technique de l'estompage sera très importante dans ces zones car c'est elle qui vous permettra de suggérer la texture du rocher. Noircissez les zones sombres les plus denses à l'aide d'un bâton de fusain comprimé de façon à obtenir un ton très intense. Il est indispensable de tenir compte de deux éléments fondamentaux, le grain du papier et l'estompage, pour obtenir le résultat souhaité.*

pas à pas
Paysage rocheux

Les éléments d'un paysage sont rarement représentés de façon isolée par rapport au contexte qui les entoure, mais le dessinateur a souvent l'occasion de dessiner leur texture. La texture des éléments du paysage varie en fonction de la distance à laquelle ils se trouvent par rapport à la personne qui les observe : plus ils sont éloignés, plus leur texture est uniforme. Le ton de la texture est également une composante dont il vous faut tenir compte. Observez par exemple le modèle ci-dessous : les tons les plus foncés se trouvent sur les arbres, et les contrastes les plus variés sur les rochers. L'exercice que nous vous proposons ici est centré sur la représentation de la paroi rocheuse ; les autres éléments du paysage sont également pris en compte, mais ne présentent pas un si grand intérêt.

MATÉRIEL NÉCESSAIRE

Fusain (1), fusain comprimé (2), gomme (3), chiffon (4), papier à dessin (5) et fixateur en spray (6).

1. *La phase de schématisation initiale consiste à esquisser les lignes générales qui accueilleront chacune des zones du paysage. Comme vous pouvez le constater ci-dessous, cette première schématisation est très succincte. Bien qu'il vous faille dès à présent tracer quelques-unes des lignes sur lesquelles vous dessinerez les éléments du paysage, la structure de ce schéma est presque géométrique. Réalisez cette première esquisse à l'aide d'un bâton de fusain, en le tenant dans le sens longitudinal pour tracer les lignes, et dans le sens transversal pour dessiner les premières taches grises.*

2. *Définissez tout d'abord les tons les plus sombres du paysage, c'est-à-dire ceux qui délimitent les parties les plus lumineuses. Les arbres situés sur la paroi rocheuse permettent d'isoler cette zone. Dessinez la cime du pin au fusain, en tenant le bâton à plat ; vos gestes doivent être courts de façon à noircir rapidement cette zone. Le tronc d'arbre est délimité par les tons foncés qui l'entourent. Estompez doucement les gris du bout des doigts. Définissez ensuite les contrastes plus denses des diverses strates des rochers avec la pointe du fusain.*

3. *Ombrez rapidement toute la zone de végétation située sur la droite en tenant le bâton de fusain à plat. Passez ensuite la main sur toute cette zone pour unifier le ton gris obtenu. Appliquez quelques petites touches de fusain dans la zone supérieure pour préciser la texture du feuillage, puis commencez à dessiner de façon beaucoup plus détaillée les séparations entre les éléments qui forment la paroi rocheuse.*

Bien que l'un des aspects fondamentaux du dessin consiste à considérer tout travail dans son ensemble, comme une unité, au moment de résoudre les différents éléments qui composent un sujet, il est important de s'y attacher avec un sens aigu de l'observation et en prêtant une attention particulière aux détails. L'artiste doit donc réserver à chaque élément le traitement de texture le plus approprié.

4. *Utilisez maintenant le fusain comprimé pour dessiner de façon beaucoup plus définitive les séparations entre les éléments qui forment la paroi rocheuse. L'étude de la lumière est fondamentale pour que le paysage acquière le réalisme nécessaire. Chacune des roches est délimitée par des zones foncées qui représentent les ombres produites par les autres roches situées au-dessus. Cela est particulièrement visible sur la roche triangulaire qui se trouve près de l'arbre. Vous remarquerez que la paroi rocheuse acquiert un important effet de volume lorsque vous assombrissez le côté gauche.*

5. *Estompez toute la zone qui correspond à l'eau et ouvrez les premiers reflets à la gomme. Dessinez les roches qui composent le côté droit de la paroi rocheuse. Le gris que vous avez obtenu précédemment représente la texture de ces roches, alors que la zone centrale est beaucoup plus lumineuse. Noircissez les parties sombres les plus denses des arbres et des buissons de la zone inférieure au fusain comprimé. Les gris qui étaient les tons les plus foncés de cette zone se transforment maintenant en demi-teintes.*

Le fusain comprimé n'est pas facile à effacer. Il convient donc de prévoir quelle devra être l'intensité de chacune des zones avant de passer à l'application définitive des tons foncés.

6. *Définissez les contrastes les plus marqués du bosquet situé sur la droite ; vous remarquerez que, du fait de ces contrastes, les demi-teintes gagnent en luminosité. Retouchez ensuite la surface de l'eau en superposant un tracé très dense aux tons gris existants. Dessinez les rochers situés au premier plan. Pour terminer, fixez votre travail pour le stabiliser ; n'abusez pas de l'emploi du fixateur, une petite quantité suffit.*

Pour maîtriser l'intensité des traits et éviter d'avoir à éclaircir des tons qui, finalement, se révéleront trop foncés, commencez par les tons gris et assombrissez progressivement les zones ou les éléments qui le requièrent au fur et à mesure de l'avancement de votre travail.

SCHÉMA - RÉSUMÉ

La schématisation est une phase fondamentale pour la définition de tout élément du paysage ; en l'absence de schéma préalable, la texture obtenue manquera de structure.

Le rendu de **l'arbre supérieur** s'obtient grâce à quelques touches de fusain très précises. Le tronc est parfaitement délimité par les tons foncés qui l'entourent.

Les roches sont définies par les tons foncés qui les entourent ; la qualité de leur texture dépend du ton de base appliqué.

Les tons foncés les plus denses des roches, tracés au fusain comprimé, font ressortir les herbes situées à la base de la paroi rocheuse.

Dessin animalier

LA SCHÉMATISATION DES ANIMAUX

Quelle que soit la complexité des animaux pris pour modèles, il convient de tenter de discerner dans leurs formes élémentaires leur mouvement, leur pose statique, tous les renseignements susceptibles de se rapporter à leur structure. La compréhension de la structure interne des animaux aide à représenter leur forme externe avec une plus grande précision. Lorsque vous aurez compris que la forme de l'animal que vous allez dessiner peut être ramenée à une sphère ou à un carré, ou que son dos suit une certaine ligne, sa représentation sera, sans aucun doute, bien plus simple.

Depuis son apparition sur terre, l'être humain est attiré de façon irrésistible par la représentation des animaux et fasciné par les autres êtres vivants qui peuplent la nature. L'artiste peut éprouver de l'admiration, de la curiosité ou une certaine crainte à leur égard, mais n'est jamais indifférent à leur présence. Les animaux possèdent une anatomie particulière, qui varie énormément en fonction de l'espèce et il est donc impossible de réaliser une étude approfondie de chacun d'entre eux. Nous étudierons néanmoins plusieurs espèces tout au long de ce thème ; nous envisagerons plusieurs modèles qui vous permettront de pénétrer dans le monde merveilleux de l'étude de la nature.

▼ Un retour aux thèmes précédents vous permettra de constater que toutes les formes, même les plus complexes, sont beaucoup plus faciles à représenter lorsqu'elles se basent sur des éléments simples tels qu'un cercle, un triangle, un carré, etc. Pour débuter dans l'étude du croquis animalier, il convient de tenir compte du fait que les éléments de l'anatomie animale les plus difficiles à comprendre et à dessiner sont les pattes. Le reste du corps ne nécessite qu'une simple approche géométrique, qui doit être élaborée avant le début de l'exécution définitive, et avant même le schéma initial. Observez attentivement l'esquisse ci-dessus : vous constaterez que la forme de l'éléphant peut s'inscrire dans un cercle presque parfait.

▼ Lorsque le schéma géométrique englobant le sujet est terminé, il convient de passer à la représentation des différents éléments qui constituent le corps de l'animal. Ce système est valable pour tous les animaux, quelle que soit leur complexité. Après avoir défini la forme générale, situez tout d'abord la tête de l'animal. La ligne de la colonne vertébrale est aussi très importante car elle conditionne la forme de toute la partie supérieure de l'animal. Pour affiner vos facultés d'observation, basez-vous sur le modèle ci-dessus et reproduisez-le en respectant la forme de la colonne vertébrale. Le mouvement de la ligne qui suit la colonne vertébrale permet de présenter différentes facettes de cet animal.

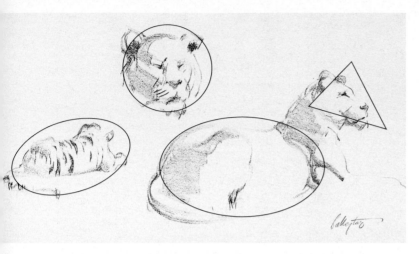

LES GRANDS FÉLINS

L es animaux sauvages ne sont pas faciles à dessiner car, heureusement, vous avez peu de chance de les rencontrer dans la nature, surtout lorsqu'il s'agit de grands félins. Il n'est néanmoins pas impossible de trouver des modèles ; l'endroit le plus approprié est le jardin zoologique, mais vous aurez sans doute remarqué que les félins aiment se reposer pendant la journée et qu'ils ont l'habitude de se cacher à l'ombre. Il existe une autre possibilité, qui consiste à travailler à partir de photographies.

▶ Cette esquisse permet d'étudier la forme du corps d'une lionne couchée ; comme vous pouvez le constater, le tronc de cet animal s'inscrit dans une forme elliptique, alors que la tête répond parfaitement à un schéma triangulaire. Près de l'esquisse de l'animal entier, vous trouverez un croquis de la tête de la lionne, mais vue sous un autre angle. Essayez de reproduire ces modèles en vous basant sur les formes géométriques mentionnées ci-dessus. Vous remarquerez que la forme de la tête de la lionne s'inscrit dans un cercle.

▶ Le corps des félins présente une ossature et une musculature très caractéristiques. Il vous suffit d'observer un chat pour constater que son corps est très similaire à celui de la panthère représentée ci-contre. Les pattes avant maintiennent le corps à une certaine distance du sol, alors que les pattes arrière sont au repos ; le dos est complètement arrondi. Près de l'esquisse de l'animal entier, nous avons également inclus deux croquis de la tête de la panthère. Essayez de schématiser ces formes à partir d'éléments géométriques simples.

▶ La structure de ce lion est très similaire à celle de la lionne. Il convient donc de se baser sur les mêmes formes géométriques, bien que le dos du lion soit un peu plus haut et que sa crinière le fasse paraître beaucoup plus grand. Pour tous ces dessins, il est important de tracer uniquement les grandes lignes.

Le renne est un animal d'une grande beauté, facile à observer : dans une ferme, sur un hippodrome ou dans un environnement rural. La représentation de ce merveilleux animal requiert une grande attention car, contrairement aux félins de la page précédente, le cheval est presque toujours debout ; ses jambes sont alors visibles, ce qui peut représenter un problème pour le dessinateur débutant. Ce dessin a été exécuté au feutre ; essayez de schématiser et de dessiner les jambes de ce majestueux animal.

LES PATTES DE DIFFÉRENTS ANIMAUX

Les formes qui figurent sur ces pages ne sont pas excessivement compliquées, surtout si le modèle est une des esquisses qui accompagnent ces explications. Lorsque l'animal est couché, comme cela était le cas des félins que nous avons vus précédemment, les pattes sont cachées, ce qui facilite grandement le travail du dessinateur. Les choses se compliquent lorsque l'animal est debout. Nous allons étudier ici quelques exemples de pattes. Comme vous pourrez le constater, chaque espèce possède une anatomie particulière.

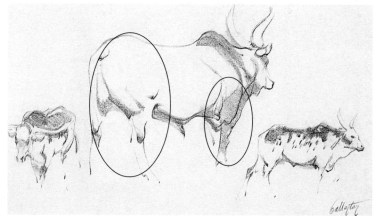

La structure des pattes peut considérablement varier en fonction de l'animal mais, en général, chaque espèce possède des caractéristiques qui lui sont propres et qui varient très peu d'une famille à l'autre. À titre de référence, nous avons choisi deux types de bovidés, le buffle et le bison. Il s'agit d'animaux apparemment très différents, mais si vous les étudiez attentivement, vous remarquerez que leurs pattes possèdent des caractéristiques communes. Dans les deux cas, le train avant et le train arrière sont similaires. Comparez les articulations et le point de flexion des pattes de ces animaux avec ceux des jambes du cheval.

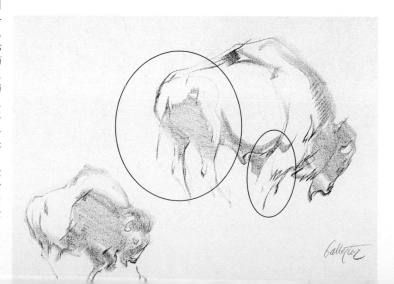

CROQUIS

Nous vous recommandons de réaliser de nombreux croquis d'un même animal. Si cela vous semble difficile au début, vous verrez qu'à chaque essai vous avancerez dans le sens d'une meilleure compréhension des formes. Si vous décidez de travailler à partir de modèles naturels, vous devrez disposer d'une quantité suffisante de papier pour essayer de réaliser le plus grand nombre de croquis en un minimum de temps. Pour maîtriser le dessin animalier, il est nécessaire d'insister constamment sur la forme de l'animal. Après avoir copié les modèles que nous vous proposons sur ces pages, nous vous recommandons donc de réaliser d'autres croquis à partir de photographies ou, mieux encore, à partir de sujets naturels.

▶ Le dessin animalier est l'un des meilleurs exercices pour le dessinateur car il lui permet de perfectionner son tracé et d'améliorer sa rapidité d'exécution. Le dessin animalier requiert avant tout une grande attention et beaucoup de patience. Au début, il convient de choisir des animaux tranquilles dont la position ne varie pas beaucoup. Il convient toujours de partir de formes générales simples telles que le cercle, l'ellipse ou le carré.

▶ L'anatomie doit être considérée de façon synthétique et cela implique le tracé des lignes minimales indispensables pour l'exécution d'un dessin complet. Si l'animal que vous souhaitez dessiner est, par exemple, une girafe, vous pouvez simplifier son anatomie en résumant ses principales caractéristiques à l'aide de quelques traits. Chacun des traits doit définir une partie complète de l'animal, sans plus de détails que ceux susceptibles d'être fournis par une simple ligne. Essayez de reproduire les exemples ci-contre : les traits doivent être continus et ne pas fermer les formes qui, bien au contraire, doivent rester ouvertes.

▼

Bien souvent, les animaux sont couchés et leurs pattes sont cachées par leur corps. Le choix de ce type de position est également une bonne solution pour le dessinateur débutant ; cela lui permet de représenter la forme de l'animal de façon beaucoup plus synthétique, sans avoir à recourir à des connaissances anatomiques très étendues. Néanmoins, même lorsque les pattes de l'animal ne sont pas visibles, il ne s'agit pas d'un exercice facile car il faut observer la façon dont les pattes sont cachées par le corps et les conséquences que cela implique en ce qui concerne la forme du dos.

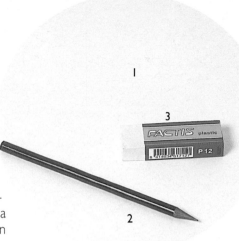

pas à pas
Un lion

L'objectif de cet exercice est d'enrichir les notions que nous avons abordées tout au long de cette leçon car nous ne vous avons jusqu'à présent montré que des exemples finis et non le processus qui a mené à leur réalisation. Étant donné qu'il est difficile de saisir un animal en mouvement, vous pouvez avoir recours à une photographie ; nous vous conseillons néanmoins de vous exercer au croquis sur des modèles naturels car l'effort demandé aura un effet positif sur vos capacités de dessin et de synthèse.

Nous vous recommandons d'observer attentivement le modèle avant de commencer à dessiner ; vous pouvez également, si nécessaire, exécuter un schéma préalable sur une feuille de calque que vous aurez posée sur la photographie afin d'étudier les formes élémentaires de la tête, du tronc et des pattes de l'animal.

Nous conseillons à tout dessinateur amateur de disposer d'une banque d'images, qui peut être composée de cartes postales, d'images découpées dans des magazines, etc.

1. *Les formes élémentaires de cet animal seront beaucoup plus faciles à exécuter si vous avez préalablement dessiné un croquis d'après la photographie qui sert de modèle. Ne vous laissez pas abuser par la crinière du lion lors de l'exécution du schéma initial ; son épaisseur peut prêter à confusion car elle donne l'impression, erronée, que la tête est très volumineuse. Ce premier schéma montre qu'en réalité, la tête se réduit à l'espace occupé par sa partie visible, qui s'inscrit de façon synthétique dans une forme presque triangulaire.*

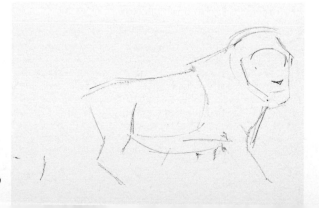

2. Lorsque vous avez parfaitement établi la structure des lignes externes, vous pouvez réaffirmer les traits essentiels. Redéfinissez l'arrondi du dos et la forme des pattes, et esquissez les traits de la tête du lion. Observez attentivement cette partie du corps de l'animal : vous remarquerez que la zone située entre les yeux et le nez s'inscrit dans un triangle équilatéral légèrement incliné au niveau de l'axe des yeux. Donnez ensuite à la crinière sa forme définitive, de la tête à la zone inférieure du cou, à la naissance de la patte avant.

3. Définissez les contrastes sur cette esquisse linéaire, en commençant par la tête ; augmentez la différence de ton entre le front de l'animal et la crinière, et continuez à assombrir celle-ci sur le côté, puis en descendant, jusqu'à la zone inférieure située au-dessus de la patte. Dessinez ensuite les traits de la tête de façon plus définitive ; appliquez un ton gris, doux, sur le nez pour suggérer l'inclinaison du museau.

4. Si la forme du lion que vous avez dessiné est assez proche de celle du modèle, vous pouvez commencer à définir les tons foncés qui vous permettront de préciser les détails de la tête et la texture du poil de l'animal. La recherche des contrastes permet d'isoler les zones de lumière qui suggèrent les volumes, par exemple sur le museau. Ces tons doivent être appliqués de façon très progressive pour que les gris se compensent réciproquement et pour que les valeurs les plus denses soient situées aux bons endroits, c'est-à-dire sur la zone de la crinière dans le cas de ce modèle. Le sens du tracé est très important pour représenter la peau de la tête et les différents plans de l'animal.

Le schéma du lion s'obtient à partir de formes élémentaires. Chaque partie du corps du lion doit s'inscrire dans l'une de ces formes.

5. Cette phase d'exécution consiste à situer les principaux tons foncés à partir desquels s'effectueront l'élaboration de tous les tons moyens et la réserve des principales zones de lumière. Complétez la crinière en mélangeant des traits d'intensités diverses et rehaussez les lignes qui définiront définitivement l'expression de l'animal. Il vous faut ensuite effectuer un double travail de contraste sur les pattes arrière : noircissez la zone d'ombre située sur la face interne de la patte arrière et appliquez un gris beaucoup plus léger pour créer la zone lumineuse, dont la forme suggérera la musculature de la patte de l'animal. Ombrez ensuite de façon beaucoup plus ferme toute la partie inférieure du ventre du lion.

6. Cet exercice met l'accent sur la forme des pattes ; il convient donc d'y prêter une attention particulière. Comme vous pouvez le constater sur le modèle ci-contre, les griffes ne sont pas entièrement dessinées, les lignes de l'extrémité des pattes sont totalement ouvertes lorsqu'elles atteignent le plan qui coïncide avec le sol ; l'appui du lion sur le sol s'en trouve simplifié et le mouvement de l'animal est plus naturel. Accentuez les lignes les plus foncées et tracez un gris léger sur la patte avant pour délimiter les zones les plus lumineuses de cette partie du corps.

7. Assombrissez l'ensemble du corps du lion ; la direction du tracé, qui doit être léger, est très importante car elle permet de suggérer le volume du tronc. Finissez de dessiner la patte postérieure, dont l'appui sur le sol doit être représenté de la même façon que pour les autres pattes, c'est-à-dire sans fer-

mer son extrémité. Définissez les derniers contrastes qui suggéreront la forme des tendons des pattes et les muscles de l'animal. Nettoyez les principales zones lumineuses à la gomme, tant sur le corps que sur les pattes. Représentez le sol à l'aide de traits isolés pour suggérer les herbes.

SCHÉMA - RÉSUMÉ

Le schéma du lion s'obtient à partir de formes élémentaires. Chaque partie du corps du lion doit s'inscrire dans l'une de ces formes.

L'essentiel de la forme de l'animal est défini par la ligne qui va de la tête à l'arrière-train. L'arrondi du dos est très important car il permet de situer le tronc et la tête.

Le mouvement des **pattes** se définit à partir de leur point de flexion ; les tons foncés leur donnent le volume nécessaire.

L'ouverture des **zones lumineuses** des pattes et du tronc s'effectue à la gomme.

Comment dessinait
Claude Gellée, dit Le Lorrain
(Chamagne, diocèse de Toul, 1600 - Rome 1682)

Le Tibre vu
du mont Mario

Il connut Poussin et fréquenta le cercle des peintres internationaux de son époque. Sa renommée se répandit dans toute l'Europe grâce au sujet unique auquel il se consacra, le paysage, dont l'intérêt principal était pour lui la lumière. Les tableaux constituant l'œuvre du Lorrain, qui influença Turner et les impressionnistes, sont répartis dans les meilleures collections du monde.

Bien qu'aujourd'hui les médiums les plus couramment utilisés soient les médiums dits « secs », il convient de ne pas rejeter l'emploi du lavis à l'aquarelle ou à l'encre pour vous exercer en prenant modèle sur des œuvres d'une grande beauté telles que celle que nous vous présentons ci-dessous.

Il suffit d'observer ce paysage pour se rendre compte de l'intérêt que présente sa composition ; les arbres sont suggérés par de simples taches sombres, dont l'intensité diminue au fur et à mesure que l'on s'approche de la ligne d'horizon, alors que l'extraordinaire luminosité du fleuve ressort au premier plan.

MATÉRIEL NÉCESSAIRE

Aquarelle de couleur terre de Sienne ou terre d'ombre brûlée (1), palette en céramique ou assiette (2), eau (3), pinceau à aquarelle (4), papier à aquarelle (5), crayon à papier (6) et chiffon (7).

1. Le dessin initial fait partie intégrante de ce processus car il fonctionne comme un schéma qui permet de situer les principaux éléments par rapport à l'ensemble du tableau. Les premières lignes, dessinées au crayon de papier, ne présentent jamais un caractère définitif. Le tracé doit être suffisamment fin pour, le cas échéant, pouvoir le corriger sans problème. Comme pour tout autre dessin, les lignes principales doivent uniquement servir de base pour le travail ultérieur. Étant donné que le travail sera effectué au lavis, il n'est pas nécessaire d'inclure d'autres tonalités, il suffit de tracer les lignes essentielles.

2. Comme le lavis à l'encre, le lavis à l'aquarelle implique l'emploi d'une plus ou moins grande quantité d'eau et il est donc possible de réguler la transparence de la couleur. Cette caractéristique va vous permettre de définir le premier ton dans la zone correspondant au ciel. Il convient de souligner que, comme dans le cas de toutes les autres techniques de dessin, le ton qui résulte de la superposition de deux couches de peinture équivaut à la somme des deux tons appliqués, c'est-à-dire à une tonalité plus foncée. Plus vous appliquerez de couches, plus le ton sera sombre.

3. *Lorsque la tonalité du fond est sèche, vous pouvez commencer à dessiner les montagnes situées dans le lointain. Utilisez pour ce faire un ton légèrement plus foncé que celui employé pour le ciel. Le dessin de la montagne est ténu, mais le coup de pinceau doit être très contrôlé sur les contours. Dans le domaine du lavis, il convient toujours d'appliquer les tons les plus foncés sur les plus clairs car il est impossible d'effacer les couleurs lorsqu'elles sont sèches. Les tonalités les plus claires et les plus lumineuses servent de base aux réserves qui sont également plus claires. Appliquez un ton légèrement plus foncé sur la zone située entre la ligne d'horizon et la rive du fleuve. La portion qui correspond à l'eau doit être réservée pendant toute la durée du travail car il s'agit de la zone la plus lumineuse du tableau. Définissez les parties les plus sombres de la rive du fleuve en superposant la couleur au lavis que vous venez d'appliquer. Celui-ci étant encore humide, ce nouveau ton se fondra avec le précédent.*

4. *Le lavis de la zone correspondant à la montagne a séché pendant que vous peigniez la rive du fleuve. Vous pouvez donc revenir à cette zone pour y appliquer un nouveau ton très lumineux (transparent). Comme vous pouvez le constater, la superposition de deux tons, aussi transparents soient-ils, donne toujours un résultat plus foncé que les tons d'origine. La couleur de base de la montagne acquiert une grande luminosité.*

5. *Comme vous pouvez le constater ci-contre, les tons foncés précédemment appliqués sur la rive droite du fleuve se sont fondus avec le lavis et les limites de ces zones sombres se sont estompées sur le fond. Revenez à la portion comprise entre la ligne d'horizon et le fleuve, et peignez-la dans un ton moyen de façon à souligner la séparation entre cette zone et la montagne. Concentrez-vous ensuite sur le côté gauche : peignez les zones sombres qui serviront de base aux tons ultérieurs. Peignez la forme des arbres qui définissent la colline à coups de pinceau précis, en superposant cette couleur au ton qui couvre le fond. Tracez ensuite les reflets qui proviennent de la rive droite du fleuve à l'aide d'un ton plus lumineux.*

6. *Vous avez maintenant appliqué tous les tons qui serviront de base au reste du tableau et pouvez donc peindre les taches qui représentent les arbres sur le fond légèrement ombré. Ces nouveaux apports de couleur étant beaucoup plus foncés que les précédents, les contrastes sont plus accentués. Observez le modèle : vous remarquerez que les arbres les plus foncés se trouvent le long de la rive du fleuve et qu'il convient donc de ne pas modifier la luminosité d'origine de certaines zones situées vers l'intérieur des terres.*

7. *Les contrastes des arbres du fond doivent être exécutés de façon très détaillée et localisée. Observez le détail ci-contre : vous remarquerez la façon dont la forme des arbres doit évoluer sur le contour de la colline. Cette zone doit être beaucoup plus sombre que lors de la phase précédente ; les tons qui étaient jusqu'alors les plus foncés doivent maintenant former la zone la plus lumineuse.*

Le peintre doit tenir compte du temps de séchage de chaque couche ou ton lorsqu'il emploie la technique du lavis. Dans le cas contraire, c'est-à-dire s'il superpose un ton à une couche encore humide, les deux tonalités se mélangeront.

8. *Les zones sombres situées à droite, au premier plan, doivent acquérir la forme du bosquet et le ton du fond doit devenir le plus lumineux de cette zone. Travaillez sur fond sec de façon à pouvoir contrôler vos coups de pinceau comme pour tout autre médium, et pour éviter que les tons foncés se fondent et que les limites des coups de pinceau vous échappent. Profitez du fait que les tons foncés des arbres situés au premier plan sont encore humides pour ouvrir des clairs en absorbant la couleur à l'aide d'un pinceau propre et sec. Peignez quelques taches sur la rive droite du fleuve ; elles serviront de base aux formes définitives.*

9. Il ne vous reste plus, au cours de cette dernière phase, qu'à appliquer les tons foncés qui définissent la forme des arbres situés à droite du fleuve. Ces arbres étant assez lointains, les taches qui permettront de les suggérer doivent être petites et former des ensembles horizontaux.

Revenez à la zone située à gauche du fleuve et insistez en y appliqua de nouvelles couches de couleur pour rehausser définitivement le contraste des tons les plus foncés. Retouchez également la partie ce trale de cette zone pour perfectionner son rendu et l'enrichir de dét*.

SCHÉMA - RÉSUMÉ

Le **dessin initial** permet de préparer les formes ainsi que chacun des plans les plus importants.

La **rive gauche** est la zone la plus élaborée et la plus contrastée ; les premières phases permettent de situer les tons du fond.

Le **premier lavis** appliqué, très transparent, doit recouvrir la zone correspondant au ciel.

Le travail relatif à **la montagne** comporte deux phases : la première application s'effectue sur le lavis du ciel, lorsque celui-ci est sec, et la seconde sur cette première application, également lorsque celle-ci est sèche.

Le **blanc du fleuve** doit conserver sa luminosité pendant toute la durée du travail ; il convient d'éviter de le tacher.

Comment dessinait

Léonard de Vinci
(Vinci, Toscane, 1452 - Le Clos-Lucé, Amboise, 1519)

Personnage agenouillé

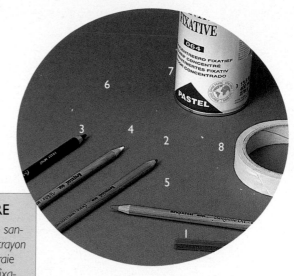

Léonard de Vinci est, sans aucun doute, l'une des figures les plus prodigieuses de l'histoire de l'humanité. Détenteur de toutes les qualités susceptibles d'être réunies par un artiste, il se distingua par son excellence dans tous les domaines : poète, scientifique, musicien, anatomiste et tant d'autres appellations qui, en définitive, ne feraient que le disperser entre ses divers talents. Le versant artiste de Léonard de Vinci se manifesta dans tous les domaines, mais sa technique du dessin en fit l'un des plus grands spécialistes de l'étude de la réalité de la Renaissance.

MATÉRIEL NÉCESSAIRE

Bâton de sanguine (1), crayon de sanguine (2), crayon Conté noir (3), crayon de craie blanche (4), crayon de craie sépia (5), papier de couleur (6), fixateur en spray (7) et ruban adhésif (8).

Ce chapitre vous propose une étude des drapés. L'artiste réalisait ce type d'exercice pour obtenir un rendu tridimensionnel sur le papier grâce à l'étude des lumières, des ombres et des rehauts de blanc, qui permettent d'envisager le dessin comme s'il était réel. Léonard de Vinci utilisait ces études pour la mise en œuvre ultérieure de travaux à l'huile. Il est important d'étudier le modèle avant de commencer à envisager le dessin. La première analyse doit être minutieuse et consciencieuse car elle permet de situer de façon exacte les plis et la structure formés par les ombres et les lumières.

1. *Délimitez le format du dessin à l'aide du ruban adhésif. Cela étant fait, ombrez le fond au bâton de sanguine pour obtenir une base légèrement différente du ton, marron, du papier. Les autres médiums respireront beaucoup mieux sur la base colorée à la sanguine et les tons se fondront mieux. Réalisez votre première intervention sur ce fond à l'aide de la craie blanche ; dessinez tout d'abord la forme générale du tissu, puis celle des principales lignes des plis. Définissez le dessin au crayon Conté ; soulignez les lignes les plus définitives et situez les premiers tons foncés de la partie supérieure.*

2. *Noircissez la totalité du côté droit du dessin au crayon Conté noir ; votre tracé doit être doux. Appliquez ces tons foncés uniquement dans les zones d'ombre des plis ; n'assombrissez pas les parties qui sont un peu plus éclairées. Toutes les zones foncées ne possédant pas le même ton, vous devrez employer différents médiums pour obtenir la couleur appropriée ; en ce qui concerne les zones d'ombre des plis qui recouvrent le bras, utilisez le crayon de couleur terre de Sienne. Après avoir dessiné les tons foncés, commencez à définir les zones dont le contraste est plus lumineux. Le tissu acquerra un volume d'un grand réalisme dès que vous aurez appliqué les premiers traits de blanc. Du bout des doigts, estompez le blanc du pli supérieur, en entraînant une partie du gris qui l'entoure. Essayez de faire en sorte que le tracé respecte la direction du plan de chacun des plis.*

Il est important de tenir compte de l'effet produit par le contact entre deux contrastes simultanés. En effet, lorsque deux contrastes, l'un très foncé et l'autre très lumineux, se trouvent côte à côte, les demi-teintes ont tendance à disparaître en raison de la présence écrasante des nouveaux tons.

3. Les blancs doivent être appliqués très progressivement, en augmentant leur intensité en fonction de la luminosité de la zone concernée. Accentuez la présence des blancs dans la zone centrale du vêtement ; ces blancs ne doivent pas obligatoirement être contigus à une zone d'ombre très foncée. Comme vous pouvez le constater sur le détail ci-dessous, les parties convexes des ombres peuvent parfois posséder le ton du papier.

4. Rehaussez peu à peu les contrastes, en allant des tons subtils du fond aux traits qui représenteront des zones lumineuses franches. Dans la zone supérieure du vêtement, commencez à accentuer les contrastes marqués entre le noir du crayon Conté et le blanc lumineux de la craie. Chaque fois que vous appliquez un ton très foncé, vous devez compenser par le blanc des zones lumineuses pour éviter que la couleur sombre domine. À ce stade du travail, les demi-teintes n'ont pas une grande importance. La structure de ce dessin permet d'étudier les lumières grâce au positionnement préalable des contrastes foncés.

6. *Rehaussez de nouveau les tons foncés situés sur la droite et redessinez la forme du tissu. Cette zone sombre et étendue doit être dessinée très délicatement, en respectant les zones plus lumineuses et en fondant le ton appliqué sur le fond. Le contraste de la zone foncée qui correspond au sommet du pli situé dans la zone inférieure droite doit être plus accentué de façon à augmenter sa profondeur. Le personnage agenouillé doit simplement être esquissé à l'aide de quelques traits.*

5. *Les blancs de la zone inférieure sont trop lumineux ; il convient de diminuer leur présence à l'aide d'un chiffon, en époussetant légèrement la surface du papier jusqu'à ce que le blanc se détache partiellement de la zone du pli central. Cette technique sera l'une des plus utilisées pour ce dessin car vous devrez rehausser ou rabaisser les tons et les contrastes selon les besoins de l'ensemble. Dessinez les ombres moyennes du pli vertical au crayon Conté noir ; votre tracé doit être doux pour éviter d'endommager le papier. Estompez ensuite doucement ces traits sur le fond de couleur sanguine.*

Si la pression exercée sur le papier est très forte, les médiums risquent de couvrir totalement les pores de la feuille, ce qui vous empêchera d'évaluer correctement les tons et d'effacer certaines zones. Procédez toujours de façon progressive lors de la définition de l'intensité des ombres car cela vous permettra de disposer d'un grand éventail de valeurs tonales.

7. *Comme vous pouvez le constater sur le détail ci-dessus, des traits nets et fermes permettent de représenter les plis longs et fins situés sur la gauche du vêtement.*

8. *À l'aide du crayon terre de Sienne, renforcez les tons moyens des ombres de couleur grise que vous jugez inadéquats. Grâce à ces retouches, les contrastes marqués dus au crayon Conté s'intégreront totalement à la tonalité du papier. Fondez délicatement les tons foncés situés à droite du dessin sur le fond pour diminuer leur intensité.*

La craie blanche répond différemment selon le fond sur lequel elle est appliquée ; le résultat d'un tracé à la craie blanche sur un fond de sanguine est différent de celui obtenu lorsque, comme sur ce détail, elle est appliquée sur un fond de couleur noire.

9. Passez à l'exécution des rehauts de blanc. Ceux-ci doivent être dessinés sur des zones préalablement estompées pour établir les différents plans qui définissent la position du tissu par rapport à la lumière. À l'aide de quelques lignes très localisées, dessinez ensuite quelques-uns des tons foncés les plus denses. Il ne vous reste plus qu'à diminuer la présence de l'esquisse du personnage agenouillé. Fixez le dessin en tenant le spray à une certaine distance (env. 30 cm) du papier pour éviter que les tons se feutrent. Ainsi se termine cette étude des drapés, un travail intense mais très intéressant, et que vous avez réalisé en suivant une méthode assez proche de celle employée par Léonard de Vinci pour exécuter son œuvre.

SCHÉMA - RÉSUMÉ

L'étude des plis s'effectue en commençant par les ombres de la zone supérieure.

Le fond doit tout d'abord être couvert de sanguine pour obtenir un ton varié, bien qu'assez uniforme.

Les ombres moyennes s'esquissent au **crayon sépia**.

Les traits doivent être dessinés au crayon **Conté noir**.

Les rehauts de blanc permettent de doter les plis de la lumière adéquate.

Comment dessinait

Michel-Ange

(Caprese, Toscane, 1475 - Rome, 1564)

Études pour Sibila Libia

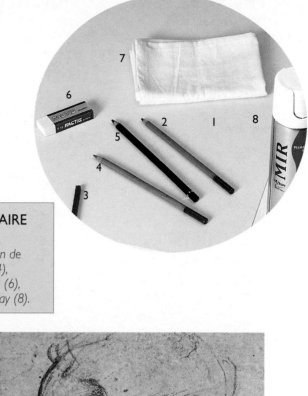

Avec Léonard de Vinci, Michel-Ange est l'une des plus grandes figures de la Renaissance européenne. Sans lui, l'art actuel aurait certainement suivi des voies totalement différentes. Pour Michel-Ange, le dessin était l'outil fondamental d'étude et d'accès à la compréhension du monde, une évidence présente tout au long de sa carrière d'artiste. La magnificence de son œuvre ne connut aucune limite ; en tant qu'artiste de la Renaissance, sa soif de savoir le poussa à s'intéresser à tous les arts et à toutes les sciences, et à exceller dans tous ces domaines. Le point culminant de son œuvre, gigantesque, consista en la décoration de la voûte de la chapelle Sixtine, qu'il exécuta en quatre années de travail ininterrompu.

MATÉRIEL NÉCESSAIRE

Papier de couleur crème (1), crayon de sanguine (2), bâton de sanguine (3), crayon sépia (4), crayon de fusain (5), gomme (6), chiffon (7) et fixateur en spray (8).

Le dessin de l'anatomie est un des intérêts primordiaux de tout artiste de la Renaissance. L'étude du corps dans la distorsion des lois visuelles est un défi que seuls des artistes comme Michel-Ange réussirent à relever non sans difficultés. Le raccourci du corps consiste à présenter une pose audacieuse, où l'on montre comment un dessin défie le plat du papier et se convertit en volume; si on observe le bras du personnage, on peut voir cet effet. Il s'agit donc d'une étude complexe qui demande beaucoup de travail et d'analyse du modèle, mais c'est sans doute l'un des meilleurs exercices qui puissent être.

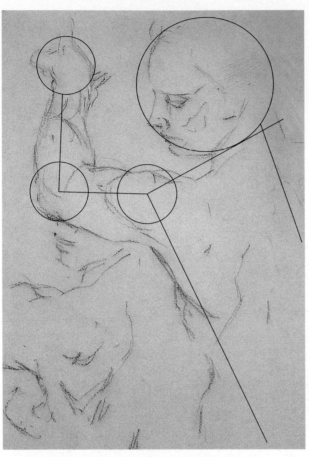

1. *La schématisation est l'une des phases les plus importantes de tout dessin, et plus particulièrement lorsqu'il s'agit d'un exercice tel que celui-ci, dont le principal sujet est l'anatomie. Le schéma initial peut être résolu à l'aide de formes simples et élémentaires ; cette technique d'esquisse est toujours utile, quelle que soit la complexité de la pose. Dans ce cas précis, la tête s'inscrit dans un cercle ; la ligne de la colonne vertébrale, qui conditionne la forme du dos, s'étend, quant à elle, à partir du cou. Les articulations de l'épaule et du coude peuvent être schématisées par des formes circulaires. Ce schéma initial sert de base à la construction linéaire de l'ensemble des contours de la silhouette. Observez la pose du bras : grâce à l'effet de raccourci, l'avant-bras semble plus éloigné et bien plus petit.*

2. *Cette phase de schématisation étant terminée, vous pouvez souligner les principales lignes de l'anatomie. Commencez par les lignes extérieures pour définir la structure du personnage de façon beaucoup plus définitive. Tracez le deltoïde, qui se trouve au-dessus de la ligne du cou, et suggérez la forme de l'omoplate. Dessinez les traits du visage à l'aide de lignes très douces ; essayez tout d'abord de définir les principales zones sombres, non pour situer les ombres, mais pour délimiter les parties les plus éclairées.*

> Ne commencez jamais un travail avant d'avoir dessiné le schéma préalable. Cette phase est indispensable, particulièrement lorsqu'il s'agit d'un exercice lié à l'anatomie humaine. La première étape de votre travail doit toujours consister en l'exécution d'une synthèse de l'ensemble, basée sur des figures géométriques élémentaires.

3. Adoucissez les tons foncés du visage en les estompant du bout des doigts, et en les intégrant au ton du papier. Le travail que vous devez effectuer ensuite concerne la mise en œuvre du bras, qui constituera le centre d'attention de cette étude. Modelez la musculature de l'épaule comme s'il s'agissait d'une forme sphérique, légèrement fuselée car les muscles sont tendus. L'extrémité du muscle de l'épaule s'insère entre le biceps et le triceps ; pour résoudre cette partie du bras, ombrez la zone creuse située entre les muscles et faites en sorte que les parties qui présentent un certain volume soient beaucoup plus lumineuses. Renforcez les premiers contrastes du visage, c'est-à-dire l'œil entrouvert et la forme du nez.

4. Pour dessiner l'avant-bras, il convient de procéder en plusieurs étapes, chacune d'entre elles correspondant à une zone précise. Assombrissez tout d'abord l'avant-bras jusqu'aux tendons du poignet, puis arrondissez le muscle pour définir sa forme. Le tendon du poignet doit être beaucoup plus foncé que le reste de l'avant-bras. Prêtez une attention particulière à cette zone car c'est elle qui créera la profondeur du raccourci en établissant une nette séparation entre les différents plans de lumière. La luminosité doit réapparaître au niveau de la main, dont les doigts devront à peine être esquissés.

6. *Après avoir dessiné chacun des traits du visage, concentrez-vous sur les tons foncés qui vous permettront de situer les différents ensembles musculaires du dos. Définissez la colonne vertébrale à l'aide d'un trait doux représentant son ombre ; avec le même ton de sanguine, dessinez les zones sombres des épaules et de l'omoplate. Renforcez les tons les plus foncés du bras au crayon terre de Sienne, en adoucissant votre tracé pour mieux intégrer ce ton à celui de la sanguine et à la couleur du papier, qui se transforme alors en l'un des tons les plus présents du dessin.*

5. *Le dessin ci-dessus montre clairement l'évolution du visage. Cette phase du travail doit vous permettre d'insister sur la recherche des lumières à partir des zones d'ombre. Assombrissez le front à la sanguine, en réservant une petite zone plus claire au-dessus du sourcil. Procédez de même pour la cloison nasale, qui doit également comporter une zone linéaire plus lumineuse. Vous obtiendrez les tons les plus foncés du visage à l'aide du crayon sépia ; évitez d'exercer une pression excessive sur celui-ci ; votre tracé doit être doux pour vous permettre d'ajuster parfaitement le ton. Assombrissez les parties les plus foncées, c'est-à-dire la bouche et la pommette, ainsi que le côté droit du sourcil.*

> Grâce aux contrastes complémentaires, les tons foncés situés près de tons plus lumineux gagnent en densité, alors que ces derniers gagnent en brillance.

7. Après avoir situé les principaux ensembles musculaires, complétez le travail anatomique concernant le dos en vous concentrant sur la forme des côtes qui partent de la colonne vertébrale. Avant de les dessiner, nous vous conseillons de schématiser leur forme arrondie, car cela vous aidera à déterminer l'emplacement de leurs ombres, qui définissent elles-mêmes le volume des côtes. Situez tout d'abord le volume principal à la sanguine ; votre tracé doit être doux. Utilisez ensuite le crayon sépia. Tracez les rehauts foncés des zones d'ombre les plus intenses au fusain, dont le rôle est ici de compléter la gamme de tons du crayon sépia.

8. Observez, sur ce détail, la façon dont le rendu de la main a été résolu ; les tons foncés alternent avec les zones plus lumineuses. Comme vous pouvez le constater, les doigts ne sont pas dessinés entièrement, ils sont à peine esquissés. Le tracé acquiert ici une importance particulière car la présence des zones dépend de l'insistance du trait.

9. *Pendant toute la durée du processus, vous avez appliqué de délicates couches de gris ; il vous faut maintenant ouvrir les zones les plus lumineuses de la musculature à la gomme. Cette opération doit être très localisée car si vous effacez plus de couleur qu'il n'est nécessaire, les rehauts manqueront de présence. Pour terminer cette étude basée sur ce modèle de Michel-Ange, il ne vous reste plus qu'à fixer le dessin pour stabiliser les médiums utilisés. Il vous suffit pour ce faire de vaporiser une petite quantité de fixateur à une distance d'environ 30 cm.*

SCHÉMA - RÉSUMÉ

L'esquisse de la forme est très importante ; il convient de la réaliser à partir de formes géométriques très simples.

La musculature de l'épaule s'inscrit dans une forme sphérique légèrement allongée.

Seul le plan le plus proche de **la main** doit être défini ; les doigts doivent à peine être esquissés.

Les tons foncés du visage délimitent les principales zones de lumière et contrastent fortement avec celles-ci.

La colonne vertébrale est le point de départ du tracé des côtes, qui sont définies par leurs tons les plus foncés.

Comment dessinait

Georges Seurat
(Paris, 1859-1891)

Un dimanche après-midi sur l'île de la Grande-Jatte

Georges Seurat créa, au côté de Signac, le néo-impression-nisme. Il développa la technique pointilliste et élabora un traité détaillé sur la théorie de la cou-leur. L'œuvre de Seurat influença de façon décisive des maîtres tels que Pissarro ou Van Gogh, qui tra-vaillèrent d'après ses théories. Seurat eut de nombreux disciples, mais aucun d'entre eux ne put atteindre sa maîtrise de la pein-ture. Il mourut très jeune, à 32 ans, mais son héritage pictural fut particulièrement décisif pour les générations ultérieures.

MATÉRIEL NÉCESSAIRE
Papier (1), crayon de graphite (2), gomme (3) et chiffon (4).

Cette œuvre peut être considérée comme étant à l'origine de la tech-nique pointilliste. Le pointillisme se base sur le mélange optique des cou-leurs sur la rétine de l'observateur, ces couleurs se présentant sous la forme de petites taches. Avant d'exécuter "Un dimanche après-midi sur l'île de la Grande-Jatte", Seurat réalisa un grand nombre d'essais et d'esquisses qui lui permirent d'étudier les effets physiques de la lumière sur chacun des éléments de la composition.

Cet exercice est basé sur l'une des nombreuses ébauches préparatoires réalisées par Georges Seurat pour l'exé-cution de cette œuvre emblématique. Il ne s'agit pas d'un dessin à caractère très réaliste, mais il est très intéressant en ce qui concerne la composition et l'étude de la lumière.

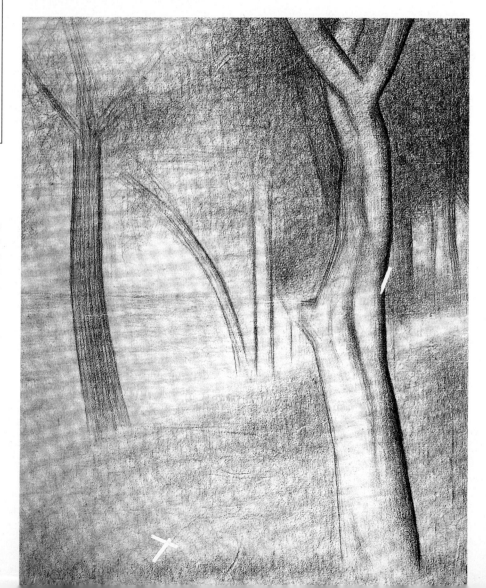

1. *Il convient tout d'abord de séparer les principales zones du tableau, qui peuvent être définies à partir de la ligne d'horizon. Cette première phase du dessin est très importante pour le reste de la composition car l'horizon constituera le principal point d'équilibre de la répartition des éléments du tableau en tant que masses. Après avoir situé la ligne d'horizon, dessinez les arbres, tout d'abord de façon très schématique ; lorsque leur emplacement vous semble correct, soulignez votre dessin d'un trait beaucoup plus sûr.*

2. *Dans le cas de ce dessin, l'apport en tons foncés doit être très progressif et doit tenir compte du processus d'évolution adopté par Seurat pour la réalisation de cette étude. Après avoir parfaitement défini les troncs d'arbres, commencez à dessiner les premiers tons foncés, tout d'abord sur l'herbe, en prenant garde à ce que le tracé soit vertical, allongé et doux ; dessinez une ombre triangulaire plus dense dans cette même zone. Passez ensuite à la partie supérieure du tableau, dans laquelle vous dessinerez une zone très foncée qui contrastera avec la forme de l'arbre, beaucoup plus lumineuse.*

Avant la mise en œuvre de tout travail, évitez de fixer immédiatement votre attention sur les détails et les nuances. Essayez tout d'abord de résumer votre vision du modèle sous la forme d'un ensemble de masses ou de zones de lumière et d'ombre qui se combinent et se juxtaposent. Cette vision du sujet conditionnera le début de votre travail et marquera le chemin à suivre pour concrétiser les formes, définir les volumes et rendre les détails.

3. *Le détail ci-dessus permet de constater que l'un des intérêts primordiaux de Seurat était la référence constante à l'effet produit par les jeux de contrastes du tableau. Seurat étudiait soigneusement chacune des phases de l'exécution de ses œuvres et réalisait un grand nombre d'études grâce auxquelles il expérimentait des effets visuels tels que le jeu des contrastes simultanés ou complémentaires. Observez l'évolution de ce détail tout au long du processus : vous constaterez que plus le ton qui entoure l'arbre sera foncé plus l'arbre lui-même semblera lumineux.*

4. *Les tons foncés tracés au crayon de graphite peuvent atteindre des densités de gris très élevées qui, bien entendu, varient selon la dureté du crayon utilisé et la pression exercée sur le papier. Les tons foncés ne doivent pas être trop intenses pendant ces premières phases du dessin ; le travail concernant chacune des zones de gris doit être progressif. Dessinez le tronc situé à droite dans un ton foncé, mais sans aller jusqu'à fermer les pores du papier ; votre tracé doit être fidèle à la forme du tronc.*

6. Revenez à la zone supérieure : accentuez le tracé du crayon sur toute cette surface de façon à obtenir un ton moyen assez intense. Les éléments de la zone intermédiaire, y compris l'arbre situé au centre, sont maintenant les plus lumineux du tableau. Avant de continuer, estompez légèrement l'ensemble du dessin du bout des doigts. Étant donné que vous avez utilisé un crayon tendre, il vous sera possible de procéder à un estompage doux ; n'appuyez pas trop car vous risqueriez d'effacer les lignes. Redessinez le tracé de l'arbre situé à gauche pour définir la texture de l'écorce.

5. Redessinez les contours des arbres ; votre tracé doit être doux, mais décidé. Repassez le crayon autant de fois qu'il est nécessaire, jusqu'à ce que vous obteniez le ton souhaité. L'intensité des contours doit varier selon les arbres ; insistez surtout sur celui qui se trouve au premier plan. Dessinez les premiers contrastes sur ce même arbre, en commençant par la zone supérieure ; cette intervention provoque une diminution du contraste par rapport au fond et il est donc nécessaire d'assombrir celui-ci pour que l'arbre retrouve sa présence initiale. Ouvrez ensuite la zone de lumière située sur l'herbe à l'aide de la gomme.

Le choix d'un matériel approprié est important ; il est par exemple impossible d'estomper des traits dessinés au crayon dur et il est également difficile de les effacer.

7. *Ce détail vous permet de déterminer la méthode utilisée pour représenter la texture de l'arbre situé au premier plan. Le contraste est très important pour la résolution des parties claires et sombres de cette zone. Dessinez l'écorce à grands traits foncés, mais sans exercer une pression excessive sur le papier ; estompez ensuite doucement ces traits du bout des doigts, puis, à l'aide de la gomme, ouvrez immédiatement un blanc lumineux à côté de chacun d'entre eux.*

Pour que la pointe de votre crayon soit toujours effilée et pour éviter d'avoir à la tailler constamment, nous vous recommandons d'utiliser un morceau de papier de verre.

8. *Faites ressortir les contrastes de l'arbre situé sur la gauche. Les traits doivent être beaucoup plus linéaires et plus foncés que les précédents. Les nouveaux contrastes doivent affecter l'ensemble du tableau ; un tracé doux vous permettra de noircir la zone supérieure, que vous estomperez ensuite du bout des doigts. Commencez également à définir la texture de l'arbre situé au premier plan. Tracez l'ombre de cet arbre sur le sol ; procédez délicatement et en insistant, mais de façon à ce que vos traits ne soient pas visibles.*

9. *Rehaussez les contrastes de l'arbre situé au premier plan ; noircissez fortement la branche supérieure, jusqu'à ce que vous obteniez un noir assez intense, mais en évitant de couvrir totalement le blanc du papier. Renforcez également les tons foncés du côté droit de cet arbre. Éclaircissez les zones lumineuses de l'écorce à la gomme. Pour terminer, renforcez les contrastes dans chacune des zones du tableau, sur l'herbe, sur le bouquet d'arbres situé au fond, et, très délicatement, au premier plan, sur la gauche.*

SCHÉMA - RÉSUMÉ

L'étude de la composition débute par celle de la répartition des principales zones du tableau, c'est-à-dire par la détermination de l'emplacement de la ligne d'horizon et des arbres.

Après avoir estompé **les tons gris de l'herbe,** il convient de les rehausser de nouveau pour équilibrer le jeu des contrastes.

Les premiers tons foncés délimitent la forme de l'arbre situé au premier plan.

L'arbre situé au centre permet d'étudier l'effet des contrastes simultanés.

Les blancs les plus lumineux s'ouvrent à la gomme.